함께 잘 살자

글 창연 이희걸

인간적인
사회경제

글 창연 이희걸

책머리

삶은 고통 속의 즐거움이거나, 즐거움 속의 고통입니다. 즐거움이 고통 속에 있다면 결단해야 합니다. 고통이 즐거움 속에 있다면 밀고나가야 합니다.

돈 걱정이 빼곡할 때·술 마시고 귀가하는 밤에·'여긴 어디'라는 회의가 드는 곳에서·해야 할 일도 하고 싶은 일도 없는 시간에·분노가 몸을 움직이려할 때·사람과 세상에 신물이 날 때·기대가 무산되었을 때·찌질하고 쪼잔한 자신이 부끄러울 때·월급의 힘에 눌려 옴짝달싹 못하는 삶을 느낄 때 그리하여 삶이 한심한 밤 달을 올려보며, 어떻게 살 것인가를 고민합니다.

사람의 정체성은 공동체로부터 옵니다. 로베르트 무질의 『특성 없는 남자』에는 이런 문장이 있습니다.

“공동체에 접근할수록 우리는 더욱 더 우리 자신이 된다. 우리는 살고 있고 어떤 것을 위해 살아야 합니다. 인간은 국가라는 상위 공동체 생활 속에서 비로소 완전하고 참된 자기규정을 발견할 것임을 알았고 … ”

칼 폴라니는 『거대한 전환』에서 이렇게 말합니다.
“인간에게 결정적인 것은 사회적 유대를 유지하는 일이다. 인간과 자연환경의 운명이 순전히 시장 메커니즘 하나에 좌우된다면 결국 사회는 완전히 폐허가 될 것이다. … 사회는 시장경제 체제의 자기 조정에 내재한 재난에 맞서 스스로를 보호했으니 이것이 19세기 역사의 가장 포괄적인 특징이다.”

독일 철학자 아도르노는 『미니마 모랄리아』에서 ‘나쁜 삶 속에 좋은 삶은 없다’고 했습니다. 이성복 시인은 ‘모두 병들었지만 아무도 아프지 않았다’고 했습니다.

그렇다면 모두 행복하지만 아무도 만족하지 않았다’라는 말도 성립합니다. 행복경제학에서 행복은 짧은 순간의 감정인 반면 만족은 전체 삶에 대한 인식으로 정의합니다 사람이 상황을 만들고 상황이 사람을 만듭니다. 사람과 상황은 상호작용합니다. 과제는 좋은 삶을 사는 것입니다. 늦은 밤, 달을 봅니다. 아름다운 초승달입니다. 그 날카로운 곡선에 마음이 베입니다. 서럽습니다. 욕망 때문에 외롭기도 합니다. 그러면서도 즐거움 안의 고통이라는 사실에 안도합니다. 수많은 사람들의 셀 수도 없는 도움을 생각합니다. 그리고 해야 할 일을 떠올리고, 잘 할 수 있을 것만 같은 자신감으로 벤 마음을 채웁니다.

어떻게 살 것인가에 대한 고민입니다. 2019년부터 2022년까지 4년간 썼던 칼럼입니다. 다듬고 고치고 보탰습니다. 국제신문에 감사의 인사를 올립니다.

좋은 삶 속에 나쁜 삶은 없습니다!
함께 잘 사는 삶, 인간적인 사회 경제를 꿈꿉니다.

삶이 풍성히 열리길 기원합니다.

2023년 여름

함향살롱에서

순서

1부 통찰을 글로 고정하고 실천하다

다시 나를 만나다 2부

3부 저항을 의무라 여기다

자유를 창조하다 4부

5부 만족에 이르다

1부 통찰을 글로 고정하고 실천하다

연민과 기대의 분산을 잘 사는 것과 관련짓다

연민은 삶의 서러움을 이해하는 것이다. 서러움 없는 일생은 없다. 돈이 없어 서럽고, 힘이 없어 서럽고, 건강하지 못해 서럽다. 외로워 섧고, 오해와 비난을 받아 섧고, 무시당해 섧고, 하소연할 곳이 없어 섧다. 막막해서 서럽고, 추억 때문에도 서럽다. 자신이 어찌하지 못하는 욕망 때문에 섧기도 하다. 자기 삶도 그렇고 타인의 삶도 그렇다. 연민은 삶의 설움을 아는 것이다.

프레임 전쟁
보수에 맞서는 진보의 성공전략
조지 레이코프·로크리지연구소 지음 나익주 옮김
창비

잘 한 일을 생각해 본다. 잡히는 것이 없다. 잘 한 일을 생각하는데 떠오른 것은 잘못한 일들뿐이다. '코끼리를 생각하지 말라'고 하면 코끼리를 생각하게 되는 그런 인지 습관인 지도 모른다.『프레임전쟁』중에서 아무튼, 상황을 장악하지 못한 일과 성급한 결정, 때를 놓친 일, 감정을 쉬이 일으킨 일, 말을 삼키지 못한 일 등 서투르고 허접하고 실수한 일들은 어찌 그리도 잘 떠오르는지…. 한심하다. 그러나 우리네 삶이 자기원망과 자기합리화 사이 그 어디쯤 있는 것이다 보니 자기원망에만 머물지는 않는다. 자기합리화 즉 잘한 일이 마침내 생각난다. 고작 두 개인데, 그것만으로도 얼마나 다행인지.

'연민'과 '기대의 분산.' 연민은 『토지』로부터 유래했다. 분량의 무게에 주눅이 들어 『토지』 읽기를 몇 십 년째 미루어왔다. 꽃 밝은 4월 어느 날, 사행일치思行一致생각난 것을 그때 바로 실행하는 것 했다.

첫 문장 '1897년의 한가위.
까치들이 울타리 안 감나무에 와서 아침 인사를 하기도 전에, 무색옷에 댕기꼬리를 늘인 아이들은 송편을 입에 물고 마을길을 쏘다니며 기뻐서 날뛴다.'부터 마지막 문장 '외치고 외치며, 춤을 추고, 두 팔을 번쩍번쩍 쳐들며, 눈물을 흘리다가는 소리 내어 웃고, 푸른 하늘에는 실구름이 흐르고 있었다.' 까지 두 달 가까이 걸렸다. 감동보다는 후련함이 앞섰다. 『토지』를 다 읽었다는 사실 자체에서 홀가분함을 느꼈다. 해야 할 일을 한 후의 그 홀가분. 행복의 감정인 그 홀가분.

언제나 그렇듯, 감동은 예상치 않은 곳에서 왔다. 줄 친 부분을 타이핑하면서 뜨거워지기 시작되었다. 『토지』는 홀가분에서 감동으로 반전되었다. 그 반전은 서러움이라는 단어가 유독 자주 등장하는 데서 출발했다.

'황무지같이 끝없이 밤낮없이 널려 있는 사람들의 서러움.', '제 설움에 울고 인간사가 서러워 울고 창자를 끊는 것같이 가락과 구절이 굽이쳐 넘어가고 바람에 날리어 흩어지는 상두가에 눈물을 흘린다.', '목이 메어 강가에서 울 적에 별도 크고오 물살 소리도 크고 아하아 내가 살아 있었고나 목이 메이면 메일수록 뼈다귀에 사무치는 설움, 그런 것이 있인께 사는 것이 소중하게 생각되더라 그 말 아니더라고?', '설움을 모른다면 어찌 마음이 있다 할 것인가.'

서러움은 삶의 보편적인 감정이기에 가장 많이 쓰였을 것이다. 박경리 선생의 삶을 관통하는 정서가 궁금해졌다. 연민이 아닌가 하는 생각이 들었다. 타인의 설움을 알고 이해하는 것. 연민은 자신을 한 발 물러 세우는 것이고, 조금 위에서 삶을 바라보는 것이며, 인간에 대한 깊은 이해다. 그래서 연민은 자기를 다독이고, 상대를 악마화하지 않는다. 덜 분노하고 원망한다. 연민은 기대의 분산으로 이어졌다.

기대의 분산은 우리 시대의 노마디즘이다. 노마디즘은 장소의 개념이 아니라 기대의 개념으로 해석이 확장되어야 한다. 기대를 한 곳에 집중하면 세상과 자신에 대한 실망과 좌절 그리고 원망을 감당하기 어렵다. 기대의 분산은 자신의 잘못은 상황 탓으로, 남의 잘못은 기질 탓으로 돌리는 감정의 흐름을 제지한다. 기대의 분산은 어깨에 힘을 빼고 폼 잡지 않으며 자연스럽게 사는 삶의 형태다. 이루어진 일은 운으로 돌리는 것이며, 뜻대로 되지 않은 일은 툭툭 털어내는 것이다. 기대의 분산은 편견 없는 유연한 대처다. 삶을 원활하게 하고, 감정에 휘둘리지 않으며, 말을 삼킬 수 있게 한다. 기대의 분산은 조금 깊어지는 것이고, 조금 나은 사람이 되는 것이다.

'연민의 감정을 마음에 붙이고 기대를 분산하는 것', 어쩌면 잘 사는 것과 직접 연결된 것 아닐까.

우정을 중심에 놓다

우정을 중심에 놓을 때에야 삶이 원활해진다. 우리 안에는 우리를 이끌고 가는 힘들이 있다. 그 힘들로 인해 성취하거나 혹은 추해진다.

이윤기 작가는 「이윤기의 그리스로마 신화」에서 '아무래도 인류의 한 갈래로서의 우리 안으로는, 우리가 잘 알지 못하는 강이 흐르고 있는 것 같다'고 말한 바 있다. 신화는 원초적인 것에 닿아있기에 여전히 막강하다.

돈을 중심에 놓는 삶은 보편적이다. 돈에 대한 이기심은 당연하고도 자연스러운 삶의 형태다. 돈은 불행 아래 더 큰 불행, 더 큰 불행 아래 극심한 불행으로 빠지기 십상인 삶을 방어하는 최고의 수단이다. 권력을 중심에 두는 삶 또한 낯설지 않다. 권력은 현실적으로는, 설득과 협상과 말의 힘을 높이고 다른 필요를 충족시키는 교환가치로서의 힘을 가지고 있다. 심리적으로는 자신감의 원천이다.

인정욕망의 추구도 당연하다. 인정은 생존에 결정적인 요인이었기에 지금 우리에게까지 이토록 강렬하게 남은 것이 아닐까. 톨스토이조차도 가장 감당하기 어려운 것이 허영 즉 인정욕망이라 하지 않았던가. 자랑을 들어줄 사람이 없는 사람만큼 불행한 사람은 없을 것이다. 그래서 우리는 어떻게든 사진과 영상으로 남으려 한다.

돈과 권력, 인정욕망은 정당하다. 죄가 없다. 오히려 돈과 권력과 인정욕망을 추구하지 않는 삶이 비정상일 것이다. 그러나 돈과 권력과 인정욕망의 성취는 예외적인 경우다.

성취는 여러 조건들이 하나의 시공간에서 만나야만 가능하다. 그러기에 제갈공명은 일을 도모하는 것은 사람이지만, 성취시키는 것은 하늘이라고 하지 않았던가. 실패와 좌절은 특별한 것이 아니다. 그러나 그 시간을 견뎌야하는 사람의 고통은 특별한 것이다.

실패와 좌절에도 우리 안에서 우리를 움직이는 힘들은 작동을 멈추지 않는다. 다리가 절단되었음에도 다리의 통증을 여전히 느끼는 것처럼 욕망의 강은 흐름을 멈추지 않는다. 성찰적 이성이 작동하지 않는다면 우리는 우리도 모르는 새 낯선 시간, 낯선 곳에서 자신의 얼굴, 젊은 시절 혐오했던 그 얼굴과 마주할 수밖에 없다.

우정을 중심에 가져다 둔 삶을 생각해본다. 괴테가 『파우스트』에서 말한 삶의 원천으로써의 우정.

"우리는 삶의 시냇물을 그리워하고
아아! 삶의 원천을 그리워하게 되는구나"

나이와 남녀를 경계로 삼지 않는 우정!

우정은 좋은 구조를 만든다. 좋은 의도와 원인은 좋은 구조를 만나야만 좋은 결과로 귀결된다. 불교는 중국으로 들어감으로써, 기독교는 로마제국으로 들어감으로써, 이슬람은 오스만제국으로 들어감으로써 세계종교가 되었다. 좋은 의도와 원인은 희귀한 것이 아니다. 희귀한 것은 좋은 구조다. 좋은 의도와 원인은 그것을 받아줄 좋은 구조가 없기에 대부분 흔적 없이 사라진다.

좋은 구조는 도시의 차원으로 확장해 볼 수도 있다. 좋은 구조가 없다면 호혜주의에 입각하고 잘 디자인된 정책이라도 실행되지 못한다. 관행에서 벗어나는 일 혹은 귀찮은 일 정도로 치부될 뿐이다. 쇠퇴에 저항하지 못하는 것은 좋은 구조가 없기 때문이다.

우정은 좋은 사건을 만든다. 인간의 삶에서 의지가 개입하는 부분은 사건의 초기 국면이다. 어느 단계를 넘어서부터는 사건이 삶을 이끈다. 좋은 사건은 좋은 곳에, 나쁜 사건은 나쁜 곳에 데려다 놓는다. 우정은 타인의 불행으로부터 행복감을 느끼지 않는다. 우리 안에는 저승을 흐르는 여신 스틱스와 지혜의 신 팔라스 사이에서 태어난 질투의 여신 젤로스ZEIOS가 도사리고 있다. 타인의 행복으로부터 불행을, 타인의 불행으로부터 위안과 행복을 얻는다.

우정은 귀가 순해지는 것이다. 비난과 비판에 얼굴을 붉히지 않는다. 우정은 애환을 말하는 것이다. 때로 고약한 일들을 하는 세상을 욕하며 함께 연민하는 것이다. 우정은 얼굴과 얼굴을 맞대고 주고받는 대화다. 우정은 소통이라는 거짓 개념을 쫓아가지 않는다. 상호 침투한다. 우정 어린 대화에는 말의 독점이 없다. 그리하여 우정은 잔을 부딪치고, 깔깔거리고, 쑥덕쑥덕하고, 눈감아 주는 것이다. 우리 부산과 부산 사람에게 원래 깃들어 있는 것, 삶의 원천, 우정을 중심에 놓은 삶은, 근사하다. 지역적이면서 세계적이다.

땀 냄새 사라지다

사람은 사람이 그리워 외로운 것이 아니라 인정욕망이 채워지지 않기에 외로운 것이다. 인해는 땀으로 만들어진 사람이었다. 그는 지금 등산을 하고 있다. 산은 텅 비었다. 빈산은 그에게 만족감을 준다. 타인을 의식하지 않아도 된다는 것은 홀가분한 행복을 준다. 나는 오래 전부터 인해를 생각해 왔다. 그의 육체성은 너무도 간단히 그를 결정지었기 때문이다.

인해에게는 많은 도전자들이 있었다. 저마다 특정 구역을 책임진 땀쟁이들이 한 판 붙어보자고는 식으로 도전해왔다. 그러나 어느 누구도 인해를 넘어서지 못했다. 인해는 대중교통에서, 물냉면을 먹으면서, 공부를 하면서, 말을 하면서, 운전을 하면서 심지어 생각을 하면서도 땀을 흘렸다. 그 땀들 때문에 인해는 사람들과 분리되었다. 그것은 자부심의 근원이라 할 수 있는 고독의 감정이 아니라 어리석음의 근원인 외로움의 감정이라고 해야 옳을 것이다.

인해는 전체적으로 근사한 사람 축에 속한다. 182cm, 70kg, 작은 얼굴, 균형 잡힌 몸매, 세련된 패션 감각 그리고 좋은 매너. 그러나 인해의 이런 장점들은 땀이 나기 전까지만 유효했다. 땀이 활동을 시작하는 순간부터 근사한 그는 찌질한 그로 바뀌었다. 여유, 유머, 자신감, 자연스러움, 용기, 좋은 향기의 사람이 당황, 긴장, 창피, 겁쟁이, 나쁜 향기의 사람이 되는 것이었다.

자신의 의지와 상관없이 자신이 타인에게 불쾌의 대상이 된다는 것, 그것이 어찌 외로움이 아닐 수 있는가. 사람은 한 단어로 규정되어서는 안 되지만, 실상은 저마다 한 단어로 규정되고 있다. 가령 어느 교수가 칠판에 정직, 성실, 배려, 양보, 용기, 친절, 신뢰, 헌신, 겸손과 같은 사람의 좋은 품성과 야비함, 기회주의, 비겁, 비굴, 오만, 몰염치와 같은 나쁜 품성을 적은 후 학생들에게 한 사람을 생각하라고 한다면 학생들은 그 한 사람과 칠판의 특정 한 단어를 일치시킬 것이다. 비슷한 방식으로 인해를 규정한다면 그는 비굴과 비겁이었다. 인해는 세심해야 했고, 거리를 두어야 했다.

등산은 가파른 구간에 이르렀다. 땀의 분출은 시작된 지 이미 오래다. 모자챙에서는 욕망이 내리꽂히듯 땀이 두두둑 떨어진다. 빈산이었으므로 인해는 땀에 주의를 기울이지 않는다. 대신 여러 생각들을 살짝씩 두드리고 있다.

사람은 상황과 환경에 따라 다른 자아를 끄집어내는데그것이 『중용中庸』에서 이야기하는 시중時中이 아닐까, 시중이기에 노자가 이야기하는 '도를 도라 말할 수 있으면 상도'가 아닌 것이 아닐까, 인仁이 두 사람 사이의 그 무엇인 한 그것은 '좋은 관계' 혹은 '좋은 매너'가 아닐까, 인간은 외로워서 권력에 목을 매고, 갑질하고, 질투하고, 싸우고, 몰염치하고, 오만한 것이 아닐까 등이 그 생각들이다.

몰입이 느슨해진 순간 '이상하다, 이럴 리가 없는데, 뭔가 잘못됐다'는 느낌을 인해는 감지했다. 땀 냄새가 사라진 것이다. 확인하고 또 확인했지만 땀 냄새는 아끼는 마음이 사라지듯, 기억이 사라지듯, 돈이 사라지듯 감쪽같이 자취를 감추었다. 인해는 놀란 눈으로 멈춰 섰다. 그리고 자신을 훑어보았다.

땀 냄새는 인해로부터 멀리 떠났다. 그는 타인의 불쾌를 감당하지 않아도 된다는 안도감에서부터 흘가분과 자랑스러움까지를 향유하고 있었지만, 동시에 '도대체 왜'라는 고민의 웅덩이에 빠졌다.

드디어 땀 냄새가 사라진 것은 변화된 여러 감정들, 태도들과 같은 뿌리, 즉 호르몬의 감소와 관련이 있다는 결론에 이르렀다. 인해는 어릴 적, 지긋지긋한 욕망의 고통으로부터 벗어나길, 빨리 나이 들기를 소망했던 자신이 옳았다며 자신을 대견해 했다.

그리하여 동래 어딘가에서 몽상적인 행복감에 빠져 있는 그를 목격했다는, 복수의 증인들은 증언하고 있다. 그러나 나는 그가 그럴 리가 없다고 생각한다. 틈만 나면 빈둥거리고, 오만으로 재단하고, 허세 부리고, 찌질하고…. 게다가 꺼칠한 수염까지. 행복한 사람이라고는 도저히 보아

줄 수 없다. 아무튼 환대의 도시 부산에 인해라는 이름을 가진 위와 같은 습성을 가진 자를 보신다면 즉시 가까운 작가에게 알려 주시길. 그리하여 행복에 대한 진실이 돋보기에 모아진 빛처럼 밝아지기를.

새벽의 어스름에서 강렬한 빛을 본 날
자기를 인식하다

새벽의 어스름에는 강렬한 빛의 조짐이 있었다. 그 빛은 필시 세계를 비출 터였다. 그는 자기를 알았어야 했다. 자기를 모를 때 삶은 뒤틀린다. 뒤틀린 삶은 감정소모다. 굴욕이고, 질투며, 오만이고 불안이다.

인해는 자기를 몰랐다. 앞서 나아가는 수많은 자아를 자기라 생각하며 그는, 단지 살았다. '단지 살았다'라는 말 속에는 애처로움의 냄새가 배어들어 있다. 한 사람의 삶을 평가하는 것은, 더구나 같은 시공간 속에 있는 사람을 평가하는 것은 계산대 앞에서 술값을 서로 내겠다며 싸우는 아저씨들만큼이나 모순적인 일이다. 그럼에도 그의 이야기를 해야 하는 것은 제대로, 잘 살기 위함이다.

삶이 실력이라면 인해에게는 해당되지 않았다. 돈과 시간은 부족했다. 재능이 현실에 모습을 드러나기 위해서는 여러 조건들이 모여야 한다. 재능을 발휘할 수 있는 분야에 들어가야 하고, 재미를 잃지 않아야 한다. 좋은 리더를 만나야 하고, 그 분야가 발전하는 곳이어야 한다. 인해에게는 이러한 조건들이 충족되지 않았다. 재능은 맴돌 뿐이었다. 실력은 요원한 것 혹은 그와는 상관없는 것으로 여겨졌다. 인해는 부끄럽고 한심했다.

삶이 힘이라면 인해에게는 해당되지 않았다. 힘 센 사람들의 위협은 그것이 터무니없는 것이라 해도 현실화되는 속성이 있다.

"정의와 힘이 같이 있어야 한다. 그렇기 위해서는 정의가 강해지거나 강한 것이 정의로워야 한다. 정의는 논란의 대상이 되지만 힘은 매우 용이하게 식별되고 논란의 여지도 없다. 인간은 정의를 강하게 할 수 없으므로 강한 것을 정의로 만들었다." 『팡세』 중에서 인해는 낮은 포복의 삶에 익숙했다.

삶이 관계라면 인해에게는 해당되지 않았다. 결정적 관

계없이 결정적 성취는 불가능한 법이다. 어색하고, 속 보이고, 짜증나고, 빨리 끝나기를 바라는 시공간에서 인해의 자아는 부자연스럽고, 자기는 그런 자아를 바라보고 있었다. 관계의 핵심은 말과 감정과 행동을 몸에 가두는 것인데 인해는 그것에 대한 거부감과 저항감을 가지고 있었다.

삶이 불안정과 불안이라면 인해에게는 해당하는 것이었다. 안정과 월등함 앞에서 인해는 초라해지고, 부족함과 미숙함을 느꼈다. 인해는 불안정과 불안이었다. 인해는 콤플렉스로 만들어진 사람이었다. 삶의 실력, 힘과는 관계가 없었다. 불안정했고 불안했다. 내부의 충돌도 많았다. 항상 주눅 들어 있었고 움츠러들었다.

인해는 애태우고, 애썼다. 전 생을 걸었고, 허투루 보내지 않았다. 시간은 차곡차곡 쌓였다. 드디어 사건이 일어났다. 그 사건은 인해의 탁월함을 발견하고 드러낼 것이었다.

삶이 내부의 경쟁이라면 그것은 이제 인해였다. 인해는 읽고 배운 것을 삶에 붙였다. 그럼에도 자신은 더 배워야 할 사람으로 자신을 인식했다.

삶이 아름다움이라면 그것은 이제 인해였다. 인해는 삶의 의미를 생각했다. '좋은 사람들에 묻혀 사는 것, 자신이 더 좋은 사람이 되는 것, 더 좋은 사람이 되어가는 자신을 발견하는 것이야말로 삶의 의미다.'라고 인해는 생각했다. 삶은 재편되었다.

삶이 우정이라면 그것은 이제 인해였다. 우정은 만면에 즐거움을 머금은 얼굴이다. 욕망은 우정에 기반할 때 온전하게 추구된다. 우정은 함께 향유하는 것이다. 우정은 삶의 원천, 추구해야 할 궁극이다.

삶이 세계적이라면 그것은 이제 인해였다. 인해는 지방적 개념을 넘었다. 서울적 개념도 넘었다. 세계적 개념에 인해는 도달했다.

삶이 실력이라면 그것은 이제 인해였다. 경쟁 속에서 인해는 자신도 모르는 사이에 탁월해졌다. 그 탁월함은 전면적인 재설계를 가능케 하는 것이었다.

새벽의 어스름에서 강렬한 빛을 본 바로 그날 인해는 자기를 인식했다. 그는 그가 생각하는 그가 아니었다. 그는 보편이고 기준이었다. 이전 삶과는 다를 것이었고, 이전 삶으로 돌아가지는 못할 것이었다. 거대한 공백의 시대, 인해는 자기를 인식했다. 그는 나아갈 터였다.

모두 행복한데 아무도 만족하지 않는 삶에서 사행일치思行一致하다

공기는 갈라지고 사물은 휘어진다. 옷이 나부끼고, 머리카락이 날린다. 넓은 보폭으로 쭉쭉 나아간다. 앞 사람들을 휙휙 추월한다. 모자가 뒤로 날아갈 위기를 겪기도 한다. 속도를 감당키 어려울 정도다.

자신이 자기를 느끼는 것과 실상은 일치하기가 어렵다. 어쩌면 일치할 수 없는 것인 지도 모른다. 사실은 이렇다. 큰 머리와 튀어나온 배, 짧은 다리 세 가지를 모두 갖추었기에 균형 잡힌 몸매라고 주장하는 사람이 달리고 있다.

바람이 부는 날이기에 옷과 머리카락이 날리고, 공기가 갈라진다고 느낄 뿐이다. 사물이 휘어지는 것은 노안의 증세일 뿐이다. 짧고 굵은 다리이기에 보폭이라고 말하기도 민망하다. 걷고 있는 사람을 추월한 것뿐이고, 초고도 비만이기에 스스로는 속도감을 느낄 뿐이다. 게다가 숨소리는 어찌나 큰지…. 숨이 곧 넘어갈 것만 같다. 전체적으로 볼 품 없는 사람이 슬로우 비디오 같이 움직이고 있는 것이다.

터진 실밥 사이로 찐 살이 나오듯 마음이 빼꼼히 나오는 계절이다. 꽃이 피었다. 아름답다. 자기를 물러나게 할 만큼. 주눅이 들고 추함을 인식할 만큼. 바람에도 날카로움과 적대감이 빠졌다. 4월의 바람에는 아련함이 있다. 그것은 두고 온 것에 대한 아련함인 동시에 가야할 길에 대한 아련함이기도 하다. 그 바람 속에서 달린다.

달리기는 몸을 새로이 하고, 후회를 남기지 않는 일임에도 운동장에 서기까지는 꼬리를 무는 갈등의 연속이다. 달리지 않을 명분은 만들기 나름이다. 이때는 『민담형 인간』신동흔,2020에서 이야기하는 '사행일치思行一致'를 해야 한다. "생각한 일을 바로 실행하는 행동력."

달리기를 시작한다. 달리기는 두서없는 생각과 답 없는

의문들이 솟구쳤다가 가라앉는 것과 함께 진행된다. 허리와 무릎과 발목의 상태에 주목하고, 근육을 점검하고, 숨 가쁜 정도를 감지한다. 그러면서도 멋있는 자세를 의식한다. 천천히 달린다. 천천히 달리는 것은 새롭게 필요한 능력이라는 생각이 튀어 오른다. 진부함에 저항하는 능력, 야식을 먹지 않을 능력, 인정을 갈구하지 않을 능력, 도구화되지 않을 능력 등과 함께. 천천히 달리는 것은 경쟁에 휘둘리지 않으며 자신만의 속도와 방향으로 삶을 살아가고자 하는, 자기확신의 표현 아닐까?

세 바퀴로 접어든다. 밖으로 눈을 돌린다. 밝은 햇빛으로 사물들은 찬란하게 빛난다. 문득 바퀴 수가 헷갈리기 시작한다. 2바퀴인지, 3바퀴인지 혼란스럽다. 다시 안으로 향한다. '부정-분노-타협-우울-수용'이라는 임종 연구가 떠오른다. 이러한 심리상태는 생의 어느 국면에서의 지배적인 감정 아닐까?

네 바퀴에서는 속도를 높인다. 근육은 결리고, 숨은 격렬하게 차오른다. 생각의 겨를은 없다. 오직 달릴 뿐이다. 숨을 고르며 다시 천천히 달린다. 직업을 기능이 아니라 신분으로 인식하는 시대착오를 생각한다. "대등의 원리"

수용을 거부하는 신분주의의 망령은 아직 흔하다. 생각과 의문은 더 빠르게 나타났다 사라진다. 노마디즘은 새롭게 정의되어야 한다. 의지하고 의지가 되어주고 기대를 분산하는 것. 기대를 분산하는 것이야말로 노마디즘의 핵심 아닐까?

결과는 과정을 압도하지만 때에 따라서는 과정이 결과를 삼키기도 한다. 몸과 의식이 그렇듯 결과와 과정도 상호작용하기 때문이다. 삶의 과정이 떳떳치 않다면 공직은 엄두를 내지 않아야 한다. 헛말과 헛글 그리고 허망. 젊은 층의 보수화는 혹 역사상 가장 진보적인 50대 때문 아닐까?

행복과 만족을 생각한다. 행복경제학에서는, 행복은 짧은 시간 동안 느끼는 감정인 반면 만족은 전체 삶에 대한 감정이라고 규정한다. 이성복 시인의 '모두 병들었는데 아무도 아프지 않았다'라는 시의 구절처럼 모두 행복한데 아무도 만족하지 않는 것은 아닐까?

달리기는 끝이 났다. 모자에서는 땀이 후두둑후두둑 떨어진다. 눈은 따끔거린다. 온몸에서 땀이 배어난다. 후련하다. 여전한 어려움 속에 있지만, 꽃 밝은 계절 후련한 일 하나쯤 사행일치하는 것은 생광스러운 일이 아닐까?

시중時中을 상황에 적합한 태도와 삶의 방식이라 정의하다

지식이 귀했을 때 지식과 지혜는 분리되지 않았다. 지식은 지혜가 되기 쉬웠다. 지식이 흔해지면서 지식과 지혜는 분리되었다. 지식은 지혜가 되기 어렵다. 지혜는 시중時中이다. 상황에 적합한 태도와 삶의 방식.

습관은 유용하다. 불필요한 에너지 소모를 막고, 신속한 의사결정을 가능케 하기 때문이다. 특별한 일이 없는 한 습관은 도움이 된다. 오만도 마찬가지다. 어느 작가는 이렇게 적었다. '혼자다. 오만해질 시간이다.' 고독한 오만은 삶을 밀고나가는 힘이 된다. 문제는 특별한 상황 변화가 생길 때이다. 상황이 변했을 때 습관은 오류가 된다.

위쪽 세계에 고장이 난 듯 비는 그악스럽다. 중국계 미국 작가 테드 창의 『당신 인생의 이야기』 속 「바빌론의 탑」에 나오는 장면처럼 누군가 하늘의 천장에 구멍을 뚫은 것이 아닌가 하는 의심이 들 정도로 비는 집요하고 맹렬하다. 늦은 밤 위협적인 빗소리를 들으며 기계식 주차타워 모니터에 번호를 누른다. 경고음이 요란하게 울린다. 지하철과 버스를 갈아타야 하는 번거러움과 막차에 대한 불안, 비에 젖을 걱정, 어쩔 수 없다는 체념과 같은 생각과 감정이 떠오른다. 어떤 찰나는 깊은 시간이다.

다시 번호를 입력한다. 같은 반응이다. 화면 가까이 다가가 없는 번호라는 메시지를 확인한다. 혹시나 하는 심정으로 다른 번호를 입력한다. 기계는 덜컥덜컥한 후 윙 소리를 내며 움직인다. 번호와 관련된 기억을 떠올린다. 습관과 오류를 생각한다.

기업이 매일 도산하던 시절이 있었다. 정부는 IMF행을 결정했다. 기업을 지원하는 데 집중했다. 죄 없이 망가진 수많은 삶은 불행을 제각각 감당해야 했다. 1997년으로부터 20년 넘는 시간을 흘러왔다. 코로나19가 느닷없이 삶을 덮쳤다. 정부는 재난지원금을 지급했다. 퍼주기라는 비판이 있었다. 국가부채비율이 가장 낮은 수준임에도, 국가재정의 목표가 국가재정일 수 없음에도, 전 세계적으로 엄청난 재정을 투입하고 있음에도, 재난지원금이 절박한 모든 이에게 도움이 됨에도, 2분기 경제성장률직전분기 대비이 OECD 회원국 중 가장 높았음에도, 소비 증가가 GDP를 상승시킨다는 사실이 확인되었음에도, 재난지원금이 복지정책을 넘어 가장 효과적인 경제정책이라는 사실이 증명되었음에도, 그리하여 2차 재난지원금 지급의 당위성이 큼에도 비판은 여전하다. 습관과 오류를 생각한다.

하나의 원인은 여러 현상으로 나타난다. 50일 동안 유례없는 비가 쏟아진 것이나, 호주의 가뭄이나, 시베리아의 이상고온이나 일본의 폭염이나, 인도의 메뚜기떼나, 잦은 태풍과 혹한과 폭설, 산불, 황사 등은 모두 기후변화라는 하나의 원인에서 파생된 현상들이다. 코로나19에 이상기후가 더해지면서 지속가능성에 대한 걱정과 두려움은 체감되는 위협이 되었다. 우리는 이미 선을 넘어왔는지도 모른다. 당장 해야 하고 다르게 행동해야 함에도 당장 하지 않고 다르게 행동하지 않는다. 습관과 오류를 생각한다.

경영학의 아버지라 일컬어지는 피터 드러커는 비즈니스에서 가장 중요한 것이 무엇이냐는 기자의 질문에 '좋은 매너'라 답했다. 좋은 매너는 삶 전반에 필수적인 것이다. 욕망과 감정을 날 것으로 표출하는 태도가 좋은 매너일 리는 없다. 좋은 매너는 욕망과 감정을 이성에 넣은 후 가라앉힐 것은 가라앉히고 표출할 것은 표출하는 삶의 양식이다.

신영복선생은 『감옥으로부터의 사색』에서 "이성의 높이에 상응하는 높은 단계의 감정에 의하여 낮은 단계의 감정이 극복되고 있을 따름이라"고 했다. 욕망과 감정이 통제 없이 표출되던 시대는 이미 사라졌다. 낮은 젠더 감수성은 사람을 도구화하는 것인 동시에 시대착오다. 습관과 오류를 생각한다.

변한 상황에 대해 습관으로 대응하는 것은 오류다. 한 번의 오류가 치명적일 수 있는 시대상황이다. 지혜는 상황에 적합한 태도와 삶의 방식, 시중時中이다.

2부 다시 나를 만나다

〈부산에 가면〉을 듣고 울컥하다 다시 너를 만나는 것이 아니라 다시 나를 만나는 것으로 들리다

꽃은 절제하지 않고, 바람은 쓰다듬는다. 마음이 무너지고, 세워지는 귀한 계절이다. 불 위의 놓인 듯 마음은 쫓긴다. 『맹자』진심편에 이런 구절이 나온다. '生斯世也爲斯世也善斯可矣.생사세야위사세야선사가의 세상에 태어나 착하게 살면 그만이다.'『사서 이치를 담은 네 권의 책』중에서

봄은 감정이다. 어느 국면에서건 실패하는 삶에서 우리는 쪼그라든다. 헤어날 것 같지 않은 바닥에서 분노와 수치심과 배신감에 시달리고 복수를 다짐한다. 그리고 외로움에 시달리다 어느 순간 우울에 묶인다. 한 번 일어난 감정은 사라지지 않는다. 안에 있는 것은 삶의 깊이를 통과하여 어느 순간 밖으로 드러나기 마련이다. 어느 국면에서건 성취하는 삶에서 우리는 현실의 발을 잃어버린다. 우쭐함과 오만, 우월감으로 자신을 채운다. 사회와 타인에 대한 존중이 있어야 할 자리에는 자기만 있다. 그러나 활짝 핀 꽃에도 폭풍은 불어 닥치기 마련이다.

성취는 여러 조건들이 하나의 시공간에서 만나야 우리 앞에 모습을 드러낸다. 그러기에 실패는 보편적인 것이다. 우리가 할 수 있는 일이란 성취나 실패가 아니라 상황을 품위 있게 버텨내는 것 정도가 아닐까? 『맹자』의 구절처럼 더 착한 사람이 되고, 더 좋은 사람이 되고픈 욕망이 꿈틀거리는 계절임에는 틀림이 없다.

봄은 감동이다. 중국작가 위화의 『형제』는 애처롭고 아름다운 이야기다. 가난과 부끄러움을 의무와 따뜻함으로 밀고나가는 이야기에는 감정이입이 깊을 수밖에 없다. 문장은 이야기에 뒤지지 않는다. 그리고 시립국악관현악단의 공연은 장엄함 속에 애잔함, 형식 속에 내용이 절묘하게 어울려 있다. 공연은 여러 가난에 대한 걱정을 멀찍이 물러나게 한다.

감동은 느닷없을 때 충격으로 다가온다. 그럴 때면 일상에서 봉해 놓았던 특정한 마음이 눈치 없이 흘러나온다. "부산에 가면~ 다시 너를 볼 수 있을까? 고운 머릿결을 흩날리며 나를 반겼던 그 부산역 앞은 참 많이도 변했구나. 어디로 가야 하나~"

최백호의 〈부산에 가면〉이다. 안에 있던 고독은 벚꽃눈처럼 오랜 시간 날린다. 외로움은 병이 되지만 고독은 사건이 된다. 고독이야말로 진짜 삶인지도 모른다.

허진모는 『휴식을 위한 지식 여행』에서 알랭 드 보통의 글을 인용한다. "예술은 자아의 균형을 회복시켜주는 기능이 있다고 했다. 물질적인 풍요로움이 결코 해결해줄 수 없는 빈 공간, 그 공간을 채우는 힘이 예술에는 존재한다. 일상에 매몰되었던 자신을 쉬게 하는 것, 나를 돌아보게 하고 내가 잃어버렸던 뭔가를 되찾아주는 것. 알랭 드

보통이 주장한 예술작품의 힘이다.”

감동은 돈의 힘이 미치지 못하는 곳에 있다. 감동의 순간 시간과 공간은 사라진다. 자기 안에 자기를 보고 있는 자기와 만난다. 그리고 감정을 끌어안는다. 분노를 녹이고, 자기 원망과 수치심을 잊게 하며, 복수의 칼날을 무디게 하고, 외로움과 우울을 돌려 세운다. 오만과 우월감을 부끄럽게 만든다. 감동은 삐뚤어져 있던 혹은 치우쳐 있던 자기를 바로 세운다.

〈부산에 가면〉에서 촉발된 감동은 이야기로, 사건으로 조금 더 나아간다. 노래 가사는 어느 순간 ‘다시 ‘너’를 볼 수 있을까?’가 아니라 ‘다시 ’나‘를 볼 수 있을까?’로 들리기 시작한다. 다시 나를 볼 수 있을까?

뿌리 뽑힌 그 막막한 삶이 고스란히 남은 산복도로를 지나면, 꽃 밝은 이 계절에 함락당해1592년4월15일 학살이 자행되었던 동래읍성에 오르면, 배고픈 시절 함께 먹던 서면시장 돼지국밥 골목에 들어서면, 분노하는 혹은 소리 없는 바다를 보면, 오래된 영광을 간직한 영광도서에 가면, 사직야구장의 환호와 열광을 함께 하면, 한 평생 세상에서 잊힌 볼품없이 일그러지고 불쌍한, 슬프고도 고독한 인간의 외침을 찍은 최민식 작가의 대연동 집 앞에 서면, 다시 나를 만날 수 있다.

꽃은 절제하지 않고, 바람은 쓰다듬고, 마음이 무너지고, 세워지는 귀한 계절, 부산에 가면 다시 나를 만날 수 있다.

서러운 눈빛이 아릿하게 꽂히다 자기확신을 삶의 목표로 삼다 친절을 배우다

불안이 내면화된 시대 불만은 일상이다. 잘 사는 것이란 자기확신에 뿌리를 둔 유연함 그 어디쯤엔가 있을 것이다. 자기확신은 뿌리가 흙을 잡아주듯 흩어지는 것을 잡아주는 역할을 한다. 자기확신에 유연성이 더해지면 삶은 수월해진다. 유연성은 자기오류의 가능성을 낮추고 타인과의 협력을 원활하게 한다. 유연성은 전체를 망라하는 덕목이기도 하다.

그러나 드물게 유연성을 거부한 자기확신의 삶이 있다. 타협하지 않고 자기확신의 길로만 나아가는 것은 고통과 고난을 감수하며 소명과 미래에 자신을 내던지는 삶이다. 보통의 사람이 감당할 수 있는 삶의 형태는 아닐 것이다.

그런 삶을 만날 때면 먹먹함과 뜨거움, 부끄러움, 부채의식이 자연스레 스멀거린다.

최민식이라는 사람이 살았다. 그는 사진작가다. 1928년에 태어나 2013년에 생을 마감했다. 85년간의 시간 중 56년을 사진작가로 살았다. 50만장이 넘는 사진과 함께 많은 글을 남겼다. 그의 글에는 근본적인 물음과 성찰이 있다.

"나에게 사진은 무엇인가? 그리고 사진을 왜 하는가? 지난 50여 년 동안 나를 괴롭혀 온 질문이다. 이 물음은 다시 삶은 무엇인가? 왜 사는가? 라는 문제와 일치된다. 사진작가는 한순간도 잊지 말고 자신에게 되물어야 한다. 누구를 위한 사진인가?"『사진이란 무엇인가』중에서

그는 지독히 가난했다. 가난했지만 가난을 피하지 않았다. 직시하고 추적했다. 그는 가난을 찍었다. 그의 사진은 어둡고 불편하다. 사진 속 삶은 괴롭고, 외롭고, 애절하다. 그러나 그 속에는 삶에 대한 본질적 힘이 있다.

"나는 세상에서 잊혀진 사람들을 찍는다. 볼품없이 일그

러지고 불쌍한 자들이 곧 나라고, 생존의 무서움을 느껴 보라고, 가까이 가고 싶지 않은 곳에 사는 외로움을 바라보라는 외침을 듣는다. 내가 전하는 것은 자신의 운명에 대결하여 씨름하고 있는 슬프고 고독한 인간의 모습이다."『사람은 무엇으로 가는가』중에서

최민식은 사진작가로 56년의 시간 중 30여 년간 고통스러웠다고 고백했다. 가난과 더불어 정부의 탄압도 그를 괴롭혔다. 그래서 그는 국내보다 해외에서 먼저 알려졌다. 영국, 독일, 일본 등 세계적인 사진 연감에 수록되었고, 20여 개국 사진공모전에서 수상했다. 7개국에서 개인초대전이 15회 개최되었다. 2000년에야 정부로부터 옥관문화훈장을 받았다. 2008년에는 국가기록원 민간 기증기록물 1호로 등록되었다. 우리나라의 국가기록물이 된 것이다.

2009년 최민식작가는 자신의 인생을 이렇게 요약했다. "나는 계속 걸었고, 언제나 카메라와 함께 있었다. 그 길에는 사람들이 있었다. 나는 카메라로 사람들을 찍었다. 나는 없는 길을 간 것도 아니고, 이 땅에 없는 사람들을 찍은 것도 아니다. 나는 계속 권력자 앞으로 불려갔다. 하

지만 나는 아침이면 다시 일어나 카메라를 들고 또 길을 걸었다. 사진은 역사 기록물로서의 가치가 있을 뿐만 아니라 현재를 늘 새롭게 바라보도록 하는 데 의의가 있다. 우리가 살고 있는 사회에는 아직도 가난한 이들에 대한 편견이 만연하고 있다. 그러므로 오늘도 내 카메라는 가난한 이들을 향하고 있는 것이다."『낮은 데로 임한 사진』중에서

부산에는 자신의 책임을 다한 세계적인 사진작가가 살았다. 그는 자기확신으로 진실과 의미를 향해 평생을 나아갔다. 그의 삶의 흔적은 고스란히 남았다. 생의 마지막 10년을 살았던 부산 대연동 집에는 필름 원판과 책, 음반, 작업실이 보존되어 있다. 최민식 작가의 작품은 기록성, 예술성, 현재성, 확장성, 산업성 등 여러 분야에서 그 가치가 탁월하다. 위대한 자산이다.

세계적인 작가가 살았던 공간의 산업화를 상상하는 것은 어쩌면 자연스럽고도 당연한 일일 것이다. 설레는 일이기도 하다. 외팔·외발 신문팔이 청년의 무심한 듯, 그래서 더 서러운 눈빛은 아릿하게 꽂힌다.

환대를 부산의 정서로 규정하다

더위는 한순간의 감정이 온 정신을 감싸듯 어느새 지배적인 것이 되었다. 우리 몸은 거세어진 더위에 익숙하지 않다. '우리 유전자는 그렇게 빨리 변화할 수가 없기 때문에 급박한 환경을 따라잡지 못하고 있다.'『진화의 배신』중에서 여름의 규정은 바뀌어야 한다. 6월은 여름이다. 그리고 이 여름은 타협 없이 양보 없이, 부산의 계절이다.

'모든 지하 보물창고로부터는 자기 자신의 것이 가장 늦게 발굴되는 법이다.'『짜라투스트라는 이렇게 말했다』중에서 부산은, 사람에 비유하자면 천재적이다. 타고난 천재성과 함께 만들어진 천재성도 부산은 함께 지니고 있다. 누구에게나 타고난 천재에 대한 로망이 있다. 그래서 타인에게는 고통스럽게 노력하는 모습을 보이지 않으려고 한다. 노력은 홀로 하는 비밀작전이다. 노력 없는 탁월함, 천재성에 대한 사람들의 인정은 우월 욕망을 충족시키는 최고의 선물이다.

이 글에 대해서도 그런 욕망은 마찬가지다. 한 번의 호흡으로 삶의 성찰이 깊이 밴 아름다운 문장들이 철새의 이동같이 질서정연하게 날아오르고, 그것이 손 볼 곳 없는 완벽한 문장이길 희망한다.

가당찮은 일이다. 마감일을 통보받은 뒤부터 고민은 머리 한구석에 오롯이 자리한다. 세수를 하면서도, 사랑스럽게 무서운 사람으로부터 잔소리를 들으면서도, 강요에 못 이긴 설거지를 하면서도, 여러 굴욕을 생각하면서도, 손톱과 코털을 깎으면서도 심지어 즐거운 술자리에서도 머리 한 곳에서는 글 만들기에 여념이 없다.

바쁨은 우월함을 과시하는 하나의 수단이 되었다는 느낌을 지울 수가 없다. 빽빽한 일정과 수많은 문자메시지는 자랑이자, 흐뭇함이다. 바쁘지 않음에서 오는 패배감으로부터 자신을 구하는 탈출구이기도 하다. '그들은 자신의 삶이 힘들고 피곤하다고 꾀병을 부리면서 그렇게 살 수밖에 없노라고 합리화한다. 선약이 있노라고 말하면서 초대를 거절하는 기쁨은 경쟁에서 승리했다는 징표이다.'『미니마 모랄리아』중에서

사람 사이의 관계에서 우월 의식은 저열함이지만, 부산이라는 공간에 대한 우월 의식은 얘기가 다르다. 부산은 뻐기고 잘난 척할 만하고, 또 그렇게 해야 한다. 부산은 지정학적 천재성과 역사적 천재성을 함께 지닌 드문 도시다. 자각과 발견 그리고 이야기가 필요할 뿐이다.

시대와 사건은 상호작용하면서 서로를 규정한다. '때로는 우연한 일이 실마리가 되어 무한한 변화가 일어나고 주변의 환경이 달라지는 것이었다.'『마담 보바리』중에서 개념 하나가 거대한 변화를 일구어낼 수도 있다. 어쩌면 거대한 변화야말로 작은 하나에서 실마리가 풀리는 게 아닐까? 망해가던 할리데이비슨은 소음으로 인식되던 오토바이 소

리 특허로 세계 최고의 기업이 되었다. 원래 가지고 있던 것을 자각하고, 발견하고, 이야기로 만든 것이다.

부산은 절묘한 접점에 위치해 있다. 그리고 부산은 고난에 처한 우리 국민을 감싸 안은 따뜻한 남쪽 도시다. 부산의 타고난 천재성과 만들어진 천재성은 과거, 현재, 미래를 관통한다. 그리고 부산의 과거와 현재, 미래는 하나의 단어로 달려간다.

환대! 환대는 인간됨의 실천이다. 자신을 한 발 물러 세워 타인을 기쁘게 맞이하는 것이다. 환대는 구체적이고 또렷하고 쉽다. 당장 할 수 있다. 환대는 경청이다. 경청은 타인의 삶에 대한 존중이다. 환대는 도움이다. 도움을 주고받을 때 존재의 기초는 단단해진다. 환대는 역할을 주는 것이다. 환대는 인정이다. 인정은 충만함, 푸근함, 안락함이다. 환대는 함께 향유하는 것이다. 즐거움과 고통을 함께 향유하는 것 속에는 진한 우정과 뿌듯한 자부심이 있다. 말로 표현할 수 없는 뭔가 묘한 분위기의 실체, 우리 안에 깃들어 있는 것, 환대는 부산의 열쇠다.

상처 없이 살 수 없는 삶에서, 그리하여 '매 순간 우리들의 상처를 통해서 우리 자신의 삶이 새어나가도 속수무책이지만'『섬』중에서 그럼에도 그것을 보듬고 나아가는 게 삶일 것이다. 환대하고, 환대받는 도시, 환대가 가득한 도시, 환대가 일상의 문화인 도시 그리하여 여름은 환대의 도시, 부산이다.

가정假定을 바로잡다

가정을 바로잡아야 한다. 가정家庭이 아니라 가정假定. 가정假定은 사실이 아니거나 또는 사실인지 아닌지 분명하지 않은 것을 임시로 인정함을 뜻한다. 가정은 논의의 대전제다. 대전제인 가정이 잘못이라면 이후 논의는 믿을만한 것이 못된다. 가정이 잘못되면 문제해결이 안 된다. 독일 철학자 아도르노는 '잘못된 삶 속에 올바른 삶은 없다'고 했다.

'인간은 합리적이다'는 경제학의 기본 가정이다. 합리적 인간이라…. 사람은 합리적이지 않다. 멀리 볼 필요도 없다. 자신을 돌아보면 합리성과는 한참 멀다는 사실을 알 수 있다. 자존심을 조금 접으면 원만하지만 그것을 하지 않는다. 인내하면 더 나은 관계가 될 수 있음에도 버럭 한다. 성급하게 결정하고 믿는다. 과시하기 위해 소비한다. 심지어 기마이까지.

'고대는 교류가 극히 제한적이었다'는 가정도 문제가 있다. 이 가정으로 인해 고대사의 많은 부분들이 설명되지 않는다. 교류가 활발했다는 가정으로 전환하면 비밀의 상당부분이 풀린다. 이병한 작가는『유라시아 견문』에서 이슬람과 그리스 문명은 활발하게 교류했고, 중국의 맹자사상이 천 년여에 걸쳐 서진西進한 결과 1789년 프랑스에서 대혁명이 발발했다고 주장한다.

'공부를 잘 하면 똑똑하다'는 가정은 오류다. 공부 잘 한 멍청이는 널려 있고, 공부 못한 똑똑이 또한 흔하게 만난다. 똑똑함이란 몸과 마음의 기본 값을 알고, 기대를 분산하며, 호혜주의에 기반하고, 좋은 관점을 가지고 있으며, 세상의 속도에 마음의 속도를 맞추는 것 등이다.

'넓은 인간관계가 좋다'는 가정도 바로잡아야 한다. 인간은 인간적인 사람을 좋아하기 마련이다. 넓은 인간관계는 깊이를 포기한 결과일 수도 있다. 넓은 인간관계를 자랑하는 사람은 실질적인 도움이 안 된다. 어떤 부탁도 현실화되지 않는다. 우정과 애환과 도움을 나누는 깊은 관계가 우월하다. 우정과 애환과 도움 속에 삶은 인간적인 것이 된다.

'시간이 없다, 바쁘다'는 가정 또한 오류다. 시간은 차고 넘친다. 시간은 어쩌면 감당키 힘든 것인지도 모른다. '초심으로 돌아가라'는 가정도 오류다. 초심으로 돌아가는 것보다 현재 처해있는 상황을 장악하는 것이 더 중요하다. 상황을 장악하지 못했을 때 일은 엉망이 되고 관계는 망가진다. 상황을 장악해야 순조롭다.

'자유롭고 싶다'는 가정도 검토해봐야 한다. 떠돌이 노동자 출신 미국 철학자 에릭 호퍼1902~1983는 『맹신자들』에서 다음과 같이 말한다. "스스로 무언가 해낼 재능이 없는 한 자유란 따분하고 번거로운 부담이다. 사람들이 대중운동에 가담하는 것은 개인의 책임을 회피하기 위해서, 다시 말하자면, 열렬한 나치 젊은이의 말마따나 '자유로부터 자유롭기 위해서'다."

'신문과 출판은 사양산업이다'는 가정도 다시 생각해 봐야 한다. 신문이 속보 경쟁인 한, 출판업이 책을 파는 일인 한 신문과 출판업은 사양산업이다. 그러나 신문과 출판이 탁월한 콘텐츠를 발견하고 그것을 산업화시키는 것으로 새롭게 정의되는 한, 신문과 출판업은 성장산업이다. 김구 선생은 1947년 다음과 같이 말했다. "오직 한없이 가지고 싶은 것은 높은 문화의 힘이다. 문화의 힘은 우리 자신을 행복하게 하고, 나아가서 남에게도 행복을 주기 때문이다."

'부산에는 없다, 부산에서는 안 된다'는 가정이야말로 바로잡아야 한다. 330만 명이 사는 도시에 어찌 탁월한 사람과 내용이 없을 수 있는가! 사실은 천지빼까리다. 단지 산업화의 길과 산업정책이 없을 뿐이다.

인류사의 중심부는 창조의 공간이 아니었다. 새로운 문명은 예외 없이 변방에서 솟아났다. 그리스와 네덜란드·영국·진나라·몽골 등 탁월함은 변방에서 출현했고, 변방에서 출현할 것이다.

신영복 교수는 『담론』에서 '변방이 창조 공간이 되기 위해서는 결정적인 전제가 있습니다. 중심부에 대한 콤플렉

스가 없어야 합니다'라고 했다. 부산의 지정학과 부산 사람의 정서, 우정·의리·환대·어서 오이소·함 해 보입시다는 세계적이다. 주눅 들지 않고 나아가는 것, 산업화의 길을 내려는 노력, 문화산업정책을 요구하는 것. '생각은 잊지 못하는 마음입니다.'『담론』 중에서 민주주의는 서술을 멈추지 않아야 한다. "모든 것은 모두를 위한 것이고, 모든 문제는 모두의 문제다." 밤은 깊었다. 20명 남짓한 사람들은 제각각 어색한 시간을, 서성이고 읽고 대화하고 연기를 내뿜으며 축내고 있었다.

"제발 조용히 관람하지 말아 주세요. 저희가 준비한 술과 안주가 있으니 드시면서 좀 떠들썩하게 자유롭게 봐주시면 고맙겠습니다. 참여가 중요합니다. 역할을 분담해주시는 건데요. 노래도 따라 부르고 박수와 환호도 보내주시고. 〈취생몽사〉는 그런 우리 기획 의도에 최적화된 프로그램입니다. 게다가 이 자리에는 영화 속 주연 배우들이 진짜로 와 계십니다." 조원희 공동운영위원장의 말에는 진부함에 대한 감수성이 있었다. 우리는 키득거리며 조용히 설레었다.

제24회 부산국제영화제BIFF에서 마련한 관객 참여형 프로그램 '커뮤니티 비프' 중 한밤부터 새벽까지 술과 안주를 즐기며 영화 3편을 몰아 보는 〈취생몽사〉 프로그램 현장이었다. 2019년 10월 8일 밤 10시, 사건은 그렇게 시작되었다.

〈성냥팔이 소녀의 재림〉 한국 영화사의 한 획을 그은 폭망의 전설, 매트릭스와 홍콩느와르, 불교, 2류 감성, 감탄과 박장대소, 주연 배우와 즉석 문답 그리고 시대를 앞서간 영화. 〈치코와 리타〉 경쾌하거나 혹은 아름다운 음악, 운명적 사랑 그리고 아모르 파티. 〈낮술〉 추위, 술의 괴로움 그리고 예정된 불길함을 인내해야 하는 답답함.

영화 세 편은 끝이 났다. 새벽 4시 30분이었다. 제각각 어색했던 20여 명의 말의 향연이 시작되었다. 마치 동지애로 묶인 사람들처럼. 예술은 영화가 아니라 말의 향연이 시작된 그 순간이라는 생각이 들었다.

피곤은 한 숨의 잠으로도 풀리지 않을 것이라는 예감은 틀리지 않았다. 형식이 일구어낸 가능성의 예술에 대한 흥분은 오랜 시간 남을 것이란 예감 또한 틀리지 않았다.

1996년 BIFF는 출범했다. 부산의 기적이 시작된 해다. "산업혁명의 동력이 어느 구석에서도 멈춰 서지 않았고, 어느 길목에서도 병목 현상이 일어나지 않은 채 나라 전체가 환상적인 성장을 연출했습니다."『물질문명과 자본주의』중에서 BIFF는 공백과 결핍 그리고 갈망을 국제영화제라는 틀로 훌륭히 만들어냈다. 유능한 추진 주체와 인적·물적 지원 그리고 성과와 자부심 등 멈춰 서지 않았고, 병목 현상도 없었다.

계절이 반소매 옷을 밀어낼 때면 우리는 남포동을 쏘다녔다. 영화의 바다에 빠졌고, 저마다 사연을 품은 채 맘을 말렸다. 문화의 불모지는 일거에 문화의 중심이 되었다. 열정은 반짝거렸고, 자부심은 똬리를 텄다. 확고부동하고 아름다웠다. 기적은 기적의 연쇄를 낳았다.

부산영상위원회, 종합촬영소, 영화후반작업장, 영화진흥위원회 그리고 영화소비도시에서 영화제도시로 다시 영화촬영도시로.

그러나 어느새 영화의 바다는 얕아지고 좁아졌다. '외적으로 움직이지 못하면서 내적으로도 뻗어 나가지 못하는' 『리스본행 야간열차』중에서 영화제가 되었다.

부정은 쉽다. 어려운 것은 긍정이다. 단서를 찾고, 그 단서의 긍정으로부터 출발하는 것. 긍정에서 새로운 길을 모색하는 것이야말로 대전환의 요체다. 영화제를 위한 영화제, 멀어진 영화제에 저항하지 않는 것은 무책임의 혐의에서 벗어나기 어렵다.

역사는, 시간은 그리고 삶은 사건이다. 우리는 말과 사진으로 남으려 하지만, 남는 것은 결국 사건이다. 부산에는 기적적인 사건이 있다. 그 기적이 과거에 완료된 사건으로 종결되어서는 안 된다. 멀어지는 영화제에 저항해야 한다. 그 저항의 단서가 〈취생몽사〉에 있었다. 함께 향유하는 축제의 가능성이, 적대와 냉대가 아닌 우정의 가능성이 바로 거기 있었다. 전환의 가능성은 형식에 있다. 형식은 내용·외부와의 상호작용을 통해 새로운 가능성을 만들어낸다.

침묵은 무능이다. 민주주의는 끊임없이 말해져야 한다. 모든 것은 모두를 위한 것이고, 모든 문제는 모두의 문제다.

어떤 우연이 운명을 만들 수 있다는 생각이 스치다

어떤 우연은 운명을 만든다. 그 운명은 찰나의 생각에서 혹은 간단한 문구 하나에서 시작될 수 있다. 실은 툭 솟아오른 아이디어와 짧은 카피야말로 큰 전환의 핵심이다. 개인의 차원이든, 도시의 차원이든 어떤 우연이 운명을 만든다.

李炳注
實錄大河小說
山河
第1部 背信의 日月

왜 책을 읽는가? 책읽기는 혼자 할 수 있다. 가장 고요하지만 가장 격렬한 일이다. 『산하』의 마지막 문장 "살아 있는 사람은 일단 산을 내려가야 하는 것이다. … -태양에 바래지면 역사가 되고 월광에 물들면 신화가 된다-"와 같은 급소에 해당하는 문장을 만났을 때, 『토지』에서 월선의 죽는 장면을 마주했을 때, 『유라시아 견문』과 니체와 『거대한 전환』의 통찰을 접했을 때 머릿속에선 요동이 친다. 책읽기의 괴로움과 삶의 권태는 흔적 없이 사라진다. 책읽기는 혼자 향유할 수 있는 행위다.

책읽기는 휘발성이 약한 지식, 체계적인 지식을 집적시킨다. 경영학의 아버지라 일컬어지는 피터 드러커는 매 년 주제를 정해서 책을 읽었다고 한다. 그 시간이 쌓여 넓고 깊은 지식을 갖추게 되었다고 한다. 지식은 위안과 용기를 주고, 두려움과 불안을 완화시킨다. 그리하여 삶을 밀고나갈 수 있는 힘을 준다. 삶을 능숙하고 노련하게 만들기도 한다. 책읽기는 잘 사는 계기를 스스로 만들어가는 행위다.

책읽기는 의무감을 충족시킨다. 책읽기는 특정한 사람들에게 의무다. 여기에 자유의 문제가 개입한다. 자유는 하고 싶은 일을 하는 것과 하기 싫은 일을 하지 않는 것 그리고 아무 일도 하지 않는 것일 수 있다. 혼자 있는 것일 수 있고, 군중들과 함께 있는 것이 자유일 때도 있다. 홀가분한 상태가 자유일 수도 있다. 의무를 떠안는 것도 자유다! 의무를 회피하는 것에는 부자연스러움과 부끄러움이 있다. 눈치 보기와 핑계가 있고, 굴욕과 구속, 껄끄러움도 있다. 책읽기는 의무를 이행하는 자유의 행위다.

책읽기는 진통제고 탈출구며, 숨어있기다. 삶이 불행하고 때로 처량하다 여겨진다면 책을 읽어야 한다. 책을 읽는 동안 삶의 고통은 시부지기 사라진다. 불행과 자기연민으로부터의 탈출이고, 이야기 속으로 혹은 지적 희열 속으로 안전하게 숨는 것이다. 책읽기는 지혜롭게 삶을 우회하는 행위다.

책읽기는 기대의 분산이다. 책읽기가 습관이 되고, 시간이 쌓이면 어느 순간 다른 차원의 생각이 떠오른다. 쓰고자 하는 욕구와 삶의 전면적인 조정이 그것이다. 글쓰기와 삶의 조정을 통해 삶은 깊어지고 넓어진다. 삶의 기대가 한곳에 집중되면 분노, 원망, 절망과 대면하기 십상이다. 기대의 집중은 사람을 졸렬하게 만든다. 책읽기는 기대의 분산이고, 품격을 높이는 행위다.

책읽기는 자기만족이다. 뇌가 나일 수는 없다. 뇌는 중독과 자극, 욕망충족으로 끌고 가려는 데 반해 나는 맑은 정신, 절제, 성찰로 가고자 한다. 뇌의 작용에 저항해야 한다. 성공적인 저항에서 자기만족이 온다. 그 만족은 세상에 휘둘리지 않고 도구화되지도 도구화하지도 않는, 자기 삶을 사는 것이다. 책읽기는 한 톨의 자기 원망도 없는 행위다.

책읽기에 대해 길게 쓴 이유는 〈2021년 대한민국 독서대전〉 때문이다. 한 달여 전 독서대전 담당자들과 우연히 마주앉았다. 거기서 北구가 'Book구'가 되는 놀라운 얘기를 들었다. 탁월한 '개념의 전환'이었다. 北구가 Book구가 된 그 짧은 순간 북구는 전혀 다르게 다가왔다. Book구에서는 맑고 밝은 희망의 냄새가 났다. 北구가 Book구가 되면서 북구는 일거에 인식의 전환을 이루었다. 어떤 우연이 운명을 만들 수 있다는 생각이 스쳤다. 개시장 폐쇄를 이룬 북구가 이제 반려견들도 책을 물고 다니는 Book구가 되기를 기대해 본다.

세계적인 도시에 걸맞은 잡지를 생각하다

책임을 떠안을 때에야 자유로울 수 있다. 책임은 돈과 노력과 정성을 요구하기에 책임에서 도망가고 싶고, 책임 자체를 부정하고 싶다. 그러나 책임을 회피하는 것에는 부끄러움과 수치심이 있다. 눈치 보기와 핑계가 있고, 굴욕과 구속, 껄끄러움, 초라함도 있다. 때로는 구차해 보이고 비루해 보인다. 책임에서 도망가는 삶에는 자유가 없다. 책임을 감당하는 것은 그 부자유에서 벗어나는 일이다. 책임을 감당하는 것 속에 자유가 있다.

사회에 대한 책임은 강요되지 않은 책임이다. 누구의 책임도 아니기에 누구도 떠안으려 하지 않는 책임이다. 그러기에 사회에 대한 책임은 그 책임을 인식하는 것부터가 쉽지 않은 일이다. 사회에 대한 책임을 떠안는 것은 귀하고도 소중한 일이다.

인문학은 '잘 사는 것'에 대한 고민과 공부다. 인문학은 문학, 역사, 철학에서 감동과 생활양식으로써의 문화, 경제와 과학으로 확장되어야 한다. 이러한 확장이 없는 인문학은 공중에 뜬 것이 되고, 실천력이 떨어지며, 진부하고 촌스럽다. 인문학은 문제를 해결하며 삶에 힘과 생기를 주고, 잘 사는 데 도움을 주는 실용이어야 한다.

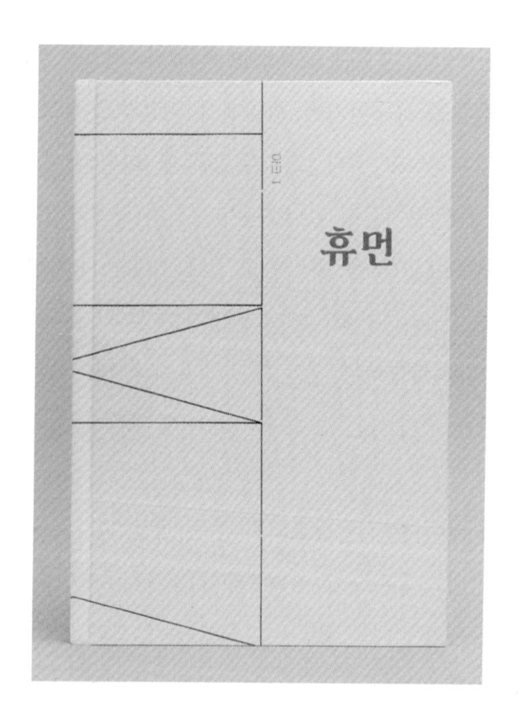

여차저차 하여 『인문무크지 아크』를 손에 넣었다. 인문즉 잘 사는 것에 대한 글을, 1년에 두 번 출간하는 반연간지로 2020년 12월 15일에 1호가 나왔다. 표지는 하얀 바탕과 몇 개의 선으로만 구성되어 있다. 그 단순함이 근사하다. 설렘을 준다. 1호의 주제는 '휴먼'으로 23편의 글이 실려 있다. 문화와 역사, 철학, 미술, 경제, 건축 등 다양한 분야의 글들이 휴먼를 향해 달려간다. 1호에는 압도적인 한 문장이 있다. '인간 중심이 아니라 인간적인 내용의 담았습니다.' 고영란

"인간 중심이 아니라 인간적인!" 시대의 급소에 해당하는 문장이다. 기후 위기의 현실화로 '인간 중심'의 시대는 이미 과거가 된데다 인간적인 것에 대한 공백과 결핍, 갈구와 갈망은 그 어느 때보다 큰 시대상황이기 때문이다. 게다가 확장성이 크다. 인간 중심이 아니라 인간적인 삶·사회·경제·문화·사상 등등.

『인문무크지 아크』 2호는 '믿음'이다. 353쪽으로 1호321쪽보다 조금 두꺼워졌다. 2021년 6월 28일 출간되었다. 22편의 글이 실렸다. 1호의 중심 글이 '인간중심이 아니라 인간적인 것'이었다면 2호의 중심 글은 '우리는 어떤 테두리 안에서 살고 있는가?'다. 기대와 이익의 테두리 안에서 맴돌고 있다는 자책이 훅 들어와 헤집는다. 2호에는 통찰력이, 좋은 문장으로 구현된 명문들이 곳곳에 들어앉아 있다.

“살아감은 ‘사라가는’ 일이다. … 살아감은 사라감이고, 사라감은 또한 살라감이다. 무엇을 ‘사르는가?’ 물론 ‘나’를 사른다. … 신앙의 대상이 무엇이든, 신앙의 실천이 무엇이든 사람들이 찾고자 하는 게 제각기 다르면서도 끝내 하나로 귀결되는 것이 바로 자신과 남들을 위한 '돌봄'일 것이다. 돌보는 일이야말로 살리는 일이요, 살리는 일이야말로 사르는 일이다.”정훈,「우리가 그것을?」 살아감과 살리는 일은, 사르는 일이고 사라지는 일이라고 한다. 서늘하게 꽂힌다.

“중국 춘추전국시대 이야기를 지나치게 좋아하는 그는 … 그러나 봉팔 씨, 버스점을 치며 야성을 충전하고 변하려고 몸부림치던 그 시절이 조금 그립다. 인간이 믿고 싶어 하고 알고 싶어 하는 존재인 한, 점은 우리 곁을 안 떠날 것이다.”조봉권,「‘버스점’을 치면서 이순신 장군을 생각했다」 ‘지나치게’라는 부사 하나로 글 전체에 웃음기를 넣었다. 또 ‘떠나지 않을 것이다.’가 아니라 ‘안 떠날 것이다.’로 표현했다. 맛있다.

“프리츠커상을 받았던 건축가들은 다름 아닌, 공간과 인간의 삶, 사회에 대한 '인상'을 새로 만들어 냈다. 이를 통해 우리가 사는 세계에 대해 새로운 '관념'을 부여한 것이다. 건축의 관념이 눈에 보이는 물리적인 것에서, 보이지 않는 ‘인간의 삶’으로 전환되기 시작한 것이다.” 차윤석,「프리츠커상, 누가 받나요?」

『인문무크지 아크』는 우리 시대의 가치를 이야기한다. 가치는 삶을 이끌고 가는 것 혹은 삶의 중심에 놓는 것으로 뿌리가 흙을 잡아주듯 흩어지는 것을 잡아주는 역할을 한다. 형식 그 자체가 이미 독보적인 가능성이다. 세계적인 도시에는 그에 걸맞은 잡지가 있다. 부산에는『인문무크지 아크』가 있다.

3부 저항을 의무라 여기다

큰 무지성 무도덕 무능에는 저항하는 것이 옳다고 느끼다

왜 우리나라 보수는 친일을 하는가. 왜 우리나라 보수는 경제를 망가뜨리는가. 왜 우리나라 보수는 막대한 국부를 유출시키는가. 왜 우리나라 보수는 세계의 변화를 모르는가. 왜 우리나라 보수는 약육강식 사회를 만들려 하는가. 왜 우리나라 보수는 진보를 죽이는가, 왜 우리나라 보수는 위기를 만드는가. 왜 우리나라 보수는 국가의 삶과 개인의 삶을 위태롭게 하는가. 왜 우리나라 보수는 시대착오인가.

압도적인 무지성·무도덕·무능력에 분노한다. 압도적인 거짓과 거짓말에 분노한다. 국가의 삶과 개인의 삶은 동행한다. 시스템이 망가지면 개인의 삶은 더 쉽게 무너진다. 민주주의는 연약하다. 대문호 이병주 작가의 표현을 빌리면 '밤이 깔'린 것이다. 밤이 깔렸지만 살아야 한다. 잘 살아야 한다.

시간을 정통으로 맞는 것쯤은 진정 별 것 아니다. 정통으로 맞는 게 어디 한두 가지인가. 어제 실패했고 오늘도 실패하고 있다. 시련·냉대·적대·사기·짜증·원망·비난·잔소리도 맞는다. 녹초가 된다.

낙엽 실은 바람이 멀리서 날아오고 있었다. 내 큰 얼굴이 목표란 걸 일찌감치 눈치 챘다. 잽싸게 피했지만 낙엽은 유도탄처럼 이마를 정통으로 쳤다. 등 뒤로 사라지는 낙

엽을 보며 '와 예상된 불운은 피해가는 법이 없노?' 라며 투덜거리는 순간, 강렬한 생각 하나가 훅 들어왔다. 『토끼와 빨래』를 다시 써야 한다!!! 그 생각에 저항하지 못한다는 사실을 나는 알고 있었다. 억울함을 호소하고 싶고, 위안과 공감이 절실해서일 것이다.

토끼 아내는 멈추지 않는다. 철퍼덕 쓰러진 후 발마사지를 요구한다. 20년 동안 전신 마사지를 했고, 안마의자를 완비했으며, 살을 찌워 이제 매주하던 몸살도 안 하게 됐는데 발마사지라니…. 항변하고 저항했다. 그럼에도 토끼는 발을 거두지 않았다.

"여보 손이 최고다."

어느 순간 최선을 다하고 있는 나를 인식했다. 나는 왜 최선을 다하는가?

화가 나는 것은 토끼의 갑질에 저항하지 못하는 나의 마음가짐과 행동이다. 말로 모든 것이 해결되었던 25살 토끼와 33살 뚱땡이 시절은 내 인생의 벨 에포크, 참 좋은 시절이었다. 그때를 회상하면 눈가에 눈물이 맺힌다. 예뻤던 토끼에 대한 그리움은 절대 아니다. 아름다운 시절이었기 때문이다. 요즘 토끼는 사전 통지도 없이 내 영역을 아무렇지도 않게 침범한다. 소파로 넘어와 말한다.

"요 앞에 좋은 카페가 생겼다던데 한번 가야지?"
"…." 나의 침묵은 토끼의 화를 돋운다. 토끼는 톤을 높인다.
"한번 가자고~오!"
"…."

토끼의 말이 쏟아지는 순간 나는 책장으로 시선을 돌린다. 〈민음사 세계문학 전집〉 언젠가 모두 읽으리라. 『노화의 종말』 이번 달에 읽을 책. 『잉글리쉬 페이션트』 아름다운 문장, 황금맨부커상. 『유라시아 견문』 좋은 문장과 통찰의 향연. 『거대한 전환』 아! 칼 폴라니, 1886년 생, 혁명, 1·2차 세계대전, 대공황, 뿌리 뽑힌 삶. 『대성당』 레이먼드 카버, 두 번 읽었을 때 찌릿했던 소설. 『미니마 모랄리아』 아도르노, 나쁜 삶 속에 좋은 삶은 없다. 『고전식탁』 고전 35권, 성찬, 형식과 내용의 탁월함. 『새들반점』 이만하면 됐다, 원북원 후보도서. 『밤이 깔렸다』 이병주 국제문학상 연구상 수상. 『오만데 삼총사의 대모험2』 의로움, 어린이 뮤지컬….

"또 내 말 안 듣고 있제?"

순간 현실로 퍼뜩 돌아왔다. 토끼는 도끼눈을 하고 나를 바라보고 있었다. 책장을 보며 어문 생각하는 걸 들킨 게 틀림없다. 위기의식이 덮쳤다. 당황되었다. 긴장이 최고조로 달했다. 이마에서는 땀이 흐르기 직전이었다. 기적적으로 한 단어가 떠올랐다.

"최선을 다해 듣고 있다."
"맨날 최선만 다하면 우짜노?"
"토끼의 복지를 위해 최선을 다하고 있다."

토끼의 입꼬리가 살짝 올라갔다. '토끼의 복지'라는 새로운 말 때문일 것이다. 위기는 넘어가고 있었다. 토끼는 자기 영역인 큰방으로 돌아갔다. 안도의 한숨이 쉬어졌다. 고도비만인 무거운 몸을 앞꿈치에 싣고 살금살금 큰방 문 앞으로 다가가 방문을 천천히, 조용히, 절대 소리 나지 않게 닫았다.

"휴우~"

토끼에게는 항거하지 못하는 쫄보지만, 큰 무지성·무도덕·무능에는 저항하는 것이 옳다. '나는 저항한다. 고로 나는 존재한다.' 까뮈

상식과 합리에 대한 보편 정서가 거대하게 흐르다

진보와 보수는 허구다. 유능과 무능이 있을 뿐이다. 나라의 운명은 간신 한 명으로도 충분하다. 진나라는 환관 조고로 인해 단명했다. 조고는 진시황의 유언을 조작해 우매한 막내를 황위에 올렸다. 조고는 황제 호해에게 사슴을 바치며 말馬이라 했다. 사슴이라 말하는 신하를 모두 숙청한 조고는 조정의 실권을 장악했다. 지록위마指鹿爲馬 고사다. 사슴을 사슴이라 말하지 못하는 기원전 210년 진나라와 바이든을 바이든이라 말하지 못하는 2022년 우리나라.

이쯤 되면 과학은 무속으로 새겨야 한다. 손바닥에 왕王자 쓰고, 아무 것도 하지 않는 과학방역 하고, 청와대 안 들어가고, 조문 가서 조문 안 하고, 이마에 무슨 칠 하고, 근조 글자가 안보이게 뒤집어 리본 달고, 영정도 위패도 없는 분향소 만들고…. 무능한데다 인간에 대한 예의도 없는 사람들의 시대다. 공멸의 위험이 크다.

이쯤 되면 시대착오다. 일본은 정치에 무능하다. 민중 봉기의 역사가 없다. 민중 봉기의 역사가 없기에 극우가 장기 집권하고 있다. 역사는, 극우의 집권은 쇠퇴 혹은 공멸이라는 사실을 명확하게 보여준다. 우리나라는 이미 2018년에 PPPPurchasing Power Parity,구매력평가지수 기준 일본을 넘어섰다. 일본은 단지 쉬러가는 곳 혹은 관광 가는 곳일 뿐이다. 야만적인 식민 지배를 당했고, 경제적·정치적·문화적 실익도 없으며, 우리나라를 회복해야 할 자신들의 땅이라 주장하는 일본에 매달리고 구걸하는 것은 한참 지난 시대 얘기다.

최초의 대통령이다. 친환경 에너지 산업을 바보짓이라 하고, 경제와 외교를 모르고, 자유가 모든 문제를 해결한다고 하고, 야당을 친북좌파라 하며 협치의 대상이 아니라고 하고, 아무도 왕으로 생각하지 않지만 본인은 왕으로 인식하고 있을 가능성이 높은, 그리하여 자기 나라를 모르는 대통령. 그에게는 결코 없어서는 안 될 것지성·도덕성·능력이 없다. 반면 결코 없어야 할 것선민의식·무속·무능이 있다.

박정희 시대를 그린 이병주 작가의 『「그」를 버린 여인』에는 다음과 같은 문장이 있다. "경멸해야 할 국가원수를 받드는 나라에서 살고 있다는 것은 나 자신을 너무나 불쌍

하게 만드는 결과가 되니까요." "남이 말할 틈을 주지 않고 혼자서 계속 지껄이고 있습디다. 말을 많이 한 대서 나쁜 것은 아니지요. 그런데 그 사람의 경우는 불안한데서 생기는 세설 같았소. 요는 자신이 없어진 거지." "국민의 존경을 받지 못하는 국가원수도 불행하지만 국가원수를 존경할 줄 모르는 국민도 불행한 국민 아니겠소?" 우리는 같이 망하는 길에서 제각각 불행하다.

빨라야 위태롭지 않다. '자기를 알고 적을 알면 백번 싸워도 위태롭지 않다知彼知己 白戰不殆'는 손자의 말은 속도의 개념으로 확장되어야 한다. 우리의 '빨리빨리' 문화는 세계적이다. 느리면 위태롭다. 교통사고는 많은 경우 속도의 문제다. 자전거도 속도가 없으면 넘어진다. 영화나 소설도 속도감이 있어야 흥행한다. 일도 속도가 있어야 이루어진다. 속도가 없으면 사고가 나거나 지리멸렬한다. 빠르면 안전하다. 빠르면 다음 단계로 나아갈 수 있다. 빠르면 재밌다. 빠르면 문제해결이 쉽다.

좋은 정치와 나쁜 정치가 있다. 좋은 정치는 함께 잘 사는 정치다. 나쁜 정치는 자기들만 잘 사는 정치다. 좋은 정치는 유능하고 상식적이다. 나쁜 정치는 무능하고 몰상식적이다.

좋은 정치는 민주주의를 강화하고 불평등을 감소시킨다. 나쁜 정치는 신분주의를 강화하고 불평등을 증가시킨다.

경제는 정치다. 외교는 정치다. 산업은 정치다. 문화는 정치다. 좋은 삶은 정치다. 정치가 돈을 분배하기 때문이다. 그래서 정치는 숭고한 일이다. 좋은 정치를 발견하고 키우며 나쁜 정치에 저항하는 일.

우리나라는 정치에 유능하다. 우리에게는 자랑스러운 민중봉기의 역사가 있다. 1894 동학혁명, 1919 3·1운동, 1960 4·19혁명, 1979 10·16 부마항쟁, 1980 5·18 광주민주화운동, 1987 6·10항쟁, 2016 촛불혁명, 민중봉기가 있었기에 혁신이 빠르고 광범위했다.

우리나라는 보편적 개인이 형성된 나라다. 저마다의 형식과 내용으로 살지만, 그 형식과 내용 아래엔 상식과 합리에 대한 보편 정서가, 거대하게 흐르고 있다. 소 잃고 외양간 고쳐야 한다. 정치해야 한다.

부끄러운 정부를 가졌음을 부끄러워하다

사랑은 자신이 더 좋은 사람이 되는 것이다. 시간이 지나야만 알게 되는 것실천이 있다. 사랑이 그렇다. 사랑은 사람과 사회로 향하지만 결국 자기에게로 돌아오는 것이다. 더 좋은 사람이 되는 것과 상관없는 감정은 사랑이 아니다. 그것은 지배하고 소유하려는 권력의지이거나 독자적인 생명력을 지닌 욕망일 뿐이다.

좋은 사람에 대한 논의는 흔하다. "그는 강인하면서도 부드럽고, 현명하면서도 단순했고, 위엄을 갖추었으면서도 사랑이 넘쳤고, 지배만 하는 것이 아니라 자신을 낮출 줄도 알았고 유능하면서도 정직했다. 거기다 그는 재치 있고 상냥하고 말쑥하고 사교적이고 취미가 고상하고 노래와 농담을 즐겼다."『우리 동네 아이들』중에서

"자신을 새롭게 하는 것, 성장시키는 것, 흘러넘치게 하는 것, 사랑하는 것, 고립된 자아의 감옥을 초월하는 것, 관심을 가지는 것, 참가하는 것, 주는 것."『소유냐 존재냐』중에서

"결코 승리하지 못할 거라는 그 모든 경고에도 불구하고, 그로 하여금 혼돈을 향해 계속 바늘을 찔러 넣도록 한 것이 무엇인지 알고 싶었다. 아무 약속도 존재하지 않는 세계에서 희망을 품는 비결, 가장 암울한 날에도 계속 앞으로 나아가는 비결, 신앙 없이도 믿음을 갖는 비결 말이다."『물고기는 존재하지 않는다』중에서

李炳注
小說莊子
歷史小說
장대한 상상력이 펼치는
부정의 논리
文學思想社

"무위모부무위사임無爲謀府無爲事任. 모사의 중심이 되어서도 안 되고, 무슨 일을 전담하여 책임을 지는 것도 안 되오. 천지를 내 집으로 알고 유유자적하시오. 당신을 나는 불기지기不器之器라고 보고 하는 말이오. 당신은 남에게 쓰일 사람이 아닌 큰 그릇이오. 그래서 내가 하는 말이오."
『소설장자』중에서

"다른 사람의 아름다움을 이루어주는 것成人之美을 인仁이라 합니다. 자기가 서기 위해서는 먼저 남을 세워야 한다는 순서를 가지고 있습니다. 동양사상의 중요한 특징의 하나로 거론되는 화해和諧 사상 역시 그렇습니다. 화는 쌀을 함께 먹는 공동체의 의미이며, 해는 모든 사람들이 자기의 의견을 말하는 민주주의의 의미라 할 수 있습니다. … 그 말은 믿을 수 있고, 그 행동은 반드시 결과가 있으며, 한번 승낙하면 반드시 성실하게 이행하고, 자신의 몸을 돌보지 않고 사람들의 어려움을 덜기 위해 뛰어드는 것이 묵가의 조직 규율입니다."『강의』중에서

정부와의 간극이 너무 크다. 어디 내놔도 부끄럽다. 사랑 없는 사람들이 한참 지난 시대의 일들을 하고 있다. 경제가 망가지면서 사회 전 영역이 비슷한

길을 갈 가능성이 높아졌다. 그럼에도 사랑을, 더 좋은 사람이 되려는 노력을 멈출 수는 없는 노릇이다.

말의 독점을 멈추어야 한다. 얼굴을 마주보며 나누는 대화에는 신비한 힘이 있다. 대화에는 말에서 멈추지 않는 우정과 의기투합이 있다. 상상력과 통찰, 실천이 솟아오르기도 한다. 3시간이 10분이 되고, 가슴은 부풀고 생의 풍성함을 느낀다. 그러나 말이 독점되면 이 모든 것들은 흔적 없이 사라진다. 이제 말은 소음이다. 분노에 이어 다른 생각들과 걱정들로 머리를 채워야 한다. 낙서나 욕을 표현하는 그림도 좋은 방법이다. 말의 독점이 끝난 후에는 오염된 귀를 위한 좋은 음악이 필수적이다.

희망보다는 용기다. 자신이 잘 될 확률보다는 안 될 확률이 월등히 높다. 잘 되는 것은 잘 되기 위한 여러 요소가 한 시공간에 모여야만 가능하다. 그 중 한 개라도 빠지면 바라던 성공은 이루어지지 않는다. 그래서 가난은 보편적이다. 그 보편성에 자신은 예외라는 생각은 망상이다. 가난하지만 품위와 광활한 관점, 연민 그리고 저항을 멈추지 않을 용기가 필요하다.

초심보다는 상황 장악이다. 상황을 장악하지 못하면 도구가 되기 십상이다. 때로 호구가 되기도 한다. 대가 없는 노동의 당사자가 되는 것은 딱하기 그지없는 일이다. 도구화에 대한 감수성이 있어야만 도구가 되지 않고 남을 도구로 여기지 않는다.

다사다난 하지 않았던 해가 없었고, 난세가 아닌 세상도 없었다. 시간이 지나야만 알게 되는 것들이 있듯 인간의 몸으로 사는 한 어쩔 수 없는 고통도 있다. 바람에는 날카로움이 빠졌다. 곧 봄이다. 더 좋은 사람이 되는, 사랑을 하자.

일본이 돌아왔음을 분하게 여기다

분하다. 먹다가 분하고 읽다가 분하다. 씻다가 분하고 자다가 분하다. 사랑하다 분하고 미워하다 분하다. 괴롭다가 분하고 즐겁다가 분하다. 연민 중에 분하고 기대 중에 분하다. 운전하며 분하고 산책하며 분하다. 버스에서 분하고 지하철에서 분하다. 걱정하며 분하고 고민하며 분하다. 아프면서 분하고 달리면서 분하다. 혼자 분하고 사람들과 분하다. 허탈하며 분하고 까칠하며 분하다. 절망 중에 분하고 희망 중에 분하다.

윤석열 정부의 정책이 없다고 한 진보의 주장은 오류다. 2017년 문재인 대통령 당선과 지난 총선 이후 대한민국 주류가 바뀌었다는 주장은 헛소리다. 윤석열 정부의 정책 기조는 명확하다. '문재인 정부와 반대!'

대북 평화정책 대신 대북 강경정책, 반일·친미·친중·친러 외교 정책 대신 친일·친미·반중·반러 외교 정책, 친환경 에너지 정책 대신 원자력 에너지 정책, 노동 친화 정책 대신 노동 탄압 정책, 북방·남방 수출 다변화 경제정책 대신 미국 일방 경제정책, 복지 확대 정책 대신 복지 축소 정책, 부동산 규제 정책 대신 부동산 규제 완화 정책···.

그 결과, 2023년 1분기 무역수지는 225억4000만 달러 적자다. 역대 최대였던 2022년 무역적자474억6700만달러의 절반 정도를 3개월 만에 기록한 것이다. 우리나라는 무역수지 적자가 누적되어서는 안 된다. 경제가 망가지면서 금융위기의 냄새가 스멀거린다. 1998년의 그 처절했던 IMF의 기억이 떠오른다. 무능·무도한 대통령이 경제를 망치고 있다.

왕정이든, 공화정이든 인류의 역사는 한 사람의 영향력이 결정적인 체제다. 그런데 그 한 사람이 무능·무도하면 나라가 거덜 났다. 곳간을 채우기는 어려워도 비우기는 쉽다. 평판을 얻기는 어려워도 잃는 것은 한 순간이다. 쌓는 것은 어려워도 허물기는 쉽다. 윤석열 정부는 우리 사회가 수십 년에 걸쳐 합의하고 구축한 상식과 시스템을 망가뜨리고 있다. 국가·국익·국민보다는 사익과 복수가 우선인 듯 보인다. 자신이 무슨 일을 하고 있는지 모르고 있을 가능성도 있다. 우리는 그 한 사람으로 인해 공멸로 가고 있는 지도 모른다.

문제해결이 아니라 없던 문제를 일으키는 정부, 일본 극우와 궤를 같이 하는 정부, 전쟁을 말하는 정부, 국익을 일본과 미국에 갖다 바치는 정부, 사회노동·경찰·교육·청년·노인 등 대부분 구성원을 적대하는 정부, 사상 최대의 무역적자로 가고 있는 정부, 강제징용 배상금을 우리 기업들이 내게 하는 정부, 미국의 대중국 봉쇄정책 선두에 선 정부, 외국만 나가면 사고치는 정부, 어디 내놔도 부끄러운 시대착오 정부.

윤석열 대통령은 그 자신의 말로 비판할 수 있다. "이 무식한 삼류 바보들을 데려다가 정치를 해서 나라 경제 망쳐놓고 외교, 안보 전부 망쳐놓고 그 무능을 이제 넘어서서 이제 사찰에 과거에 권위주의 독재 정부가 하던... 권위주의 독재정부는 국민 경제를 확실하게 살려놔서 우리나라 산업화의 기반을 만들었습니다. 이 정부는 뭐했습니까? 정말 가지가지 다하는 이 무능과 불법을 아주 동시 패

션으로 다 하는 이런 성말 엉터리 정권입니다."2021년12월 30일, 경북선거대책위원회출범식

윤대통령은 일본을 보편국가라 했다. 어찌 일본이 보편국가인가? 일본은 결코 보편국가일 수 없다. 극우가 집권하고 있는 나라, 경술국치·강제징용·위안부 모두 합법이라 우기는 나라, 우리나라 산업에 타격을 가하기 위해 반도체 수출규제를 한 나라, 우리 영토를 호시탐탐 노리는 나라. 이런 일본이 어찌 보편국가인가! 일본을 보편국가로 인식한 우리나라 대통령, 한심하다.

조선총독부 마지막 총독 아베 노부유키는 다음과 같이 말했다. "우리는 패했지만 조선은 승리한 것이 아니다. 장담하건데, 조선민이 제 정신을 차리고 위대했던 옛 조선의 영광을 되찾으려면 100년이라는 세월이 훨씬 더 걸릴 것이다. 우리 일본은 조선민에게 총과 대포보다 무서운 것을 심어놓았다. 결국은 서로 이간질하며 노예적 삶을 살 것이다. 실로 조선은 위대했고 찬란했지만 현재 조선은 결국 식민교육의 노예로 전락할 것이다. 그리고 나 아베 노부유키는 다시 돌아온다." 그 아베 노부유키 말이 현실화되고 있다. 분하다.

단추와 단추 사이로 살이 삐어져 나오는 옷을 벗고 책 만드는 일을 시작하다

사람이 무서운 건 실천하기 때문이다. 사람이 하찮은 건 헛말·헛글 때문이다. 사람이 중한 건 시대가 삶에 들어있기 때문이다. 사람이 같잖은 건 자기만 삶에 들어있기 때문이다.

월급의 무게에 눌렸다. 불행했다. 명함 든 손을 내밀지 못했다. 부끄러웠다. 허덕이며 불행과 부끄러움을 곱씹었다. 울었다. 그러나 마음이 꺾이진 않았다. 23년이었다. 불행과 부끄러움을 녹이기 위해 책을 읽었다. 여전한 불행과 부끄러움이었지만 가까워지지 않는 불빛은 깜빡였다.

단추와 단추 사이로 살이 삐어져 나오는 옷을 벗었다. '잊지 못하는 마음'이 있었다. 책을 만들기 시작했다. 50년 방황 끝에 만난 일이었다. 출판사 슬로건을 지었다. '우리는 환대하고 발견한다. 인간과 세상에 대한 깊은 이해를 바탕으로 탁월함을 세상에 내놓는다. 우리는 단순하고 명쾌하며 솔직하고 우아하다'

"돈 되나?" 친구가 물었다.
"…."
"돈 안 되는 일 쫌 그만해라." 친구가 말했다.
"돈 안 돼도 개안타." 내가 답했다.

책을 만드는 일은 귀한 일이다. 시대와 삶과 사유를 기록하기 때문이다. 교정·교열은 반복이다. 윤문은 글에 윤기를 넣는 일이다. 섬세하게 작업한다. 표지 디자인은 신난다. 고민과 갈등의 시간이 깊어진 어느 순간 짠하고 생각이 솟아난다. 책 만드는 전체 과정은 창조다. 고통은 즐거움 안에 있다.

책을 만들면서 더 좋은 사람이 되어가는 나를 인식한다. 『토끼와 빨래』의 61개 에피소드는 다음 한 문장을 향해 달려간다. '어쩌면 주위를 좋은 사람으로 채우는 것, 내가 더 좋은 사람이 되는 것, 더 좋은 사람이 되어가는 나를 인식하는 것이야말로 삶의 의미일 지도 모른다.' 삶이 글을 쫓아가고 있음을 느낀다.

'밤이 깔렸다'는 단순한 아름다움을 구현했다. 앞뒤표지 안을 그림과 글로 채웠다. 본문으로 직행했다. 차례를 마지막 쪽에 넣었다. 책을 만드는 전全과정이, 마음이 생기는 만남性이 되었다. 예술이 되었다.

나림 이병주를 조명하는 시리즈의 첫 번째 책, 10편의 소설, 해설·줄거리·어록, 형법학자가 본 나림 이병주 소설의 재발견, 강력한 현재성, 소설 속 문장으로 줄거리 구성, 명문장, 삶의 통찰과 지혜가 담긴 나림의 육성, 글쓰기 공부, 인문의 향연.

"「소설·알렉산드리아」를 읽고 필사하는 일은 밤하늘 별을 헤아리는 일과 같았다. 그러나 나는 그 무모한 일을 시작했다."『밤이 깔렸다』중에서

"살다보면 밤이 깔립니다. 밤이 깔렸지만 살아야 합니다. 그것도 잘 살아야 합니다. 밤이 깔린 시대를 거침없이 산 사람이 있었습니다. 그는 운명에 주눅 들지 않았습니다. 그가 남긴 것은 이제 위대하고 거대한 것이 되었습니다. 나림 이병주는 다시 나오기 힘든 작가입니다. 잊힐 수 없는 작가입니다. 삶의 애환과 운명의 얄궂음에 대한 방대한 글을 남겼습니다. 이병주라는 거대한 산맥의 작은 골짜기 하나를 탐색했습니다. 바로 이병주의 법사상입니다. 이병주 소설 속 법사상에는 강력한 현재성이 있습니다. 법과 법률은 여전한 문제이기 때문입니다. 『밤이 깔렸다』는 형법학자가 새긴 나림 이병주의 법과 문학 그리고 삶입니다. 문장의 향연입니다. 밤이 깔렸습니다. 나림 이병주를 만나야 합니다."『밤이 깔렸다』출판사 서평

“다시는 장난꾸러기 아이들에게 잡혀 곤충표본함에 등에 바늘을 꽂히우고 엎드려 있는 꼴은 당하지 않을 것이다. 간악한 날짐승을 피하고, 맹랑한 네발짐승도 피하고, 전기가 통한 전선에도 앉지 않을 것이고, 조심스레 꽃과 꽃 사이를 날아 수백수천의 알을 낳을 것이다.”「소설·알렉산드리아」중에서

“사람이 된다는 것, 그것이 예술이다.”『별이 차가운 밤이면』중에서

갑갑한 불안·막막한 외로움·불행한 공기.
밤이 깔렸다. 살다보면 밤도 깔린다.

거대한 바람의 강에서 시원한 자부심을 느끼다

분노의 강은 움직이고, 자각은 사건을 거쳐 자부심에 이른다. 역사 공부의 실용성은 현재를 미래의 시점에서 평가할 수 있다는 데에 있다. 그 실용성 덕분에 망각과 무책임의 속성을 지닌 시간에게 평가를 맡기지 않아도 된다. 평가된 현재는 생각과 실천의 힘을 강화한다. 현재화된 역사를 위해 '역사에 가정은 없다'는 말은 폐기되어야 한다. 역사는 가정이다.

사람마다, 나라마다 생각의 중심에는 차이가 있다. 다양하다는 표현이 맞을 것이다. 자유를 중심에 놓은 자유주의, 평등을 중심에 놓은 평등주의, 개인을 중심에 놓은 개인주의, 사회를 중심에 놓은 사회주의, 반공을 중심에 놓은 반공주의, 일본을 중심에 놓은 친일주의, 민족을 중심에 놓은 민족주의, 진보를 중심에 놓은 진보주의, 보수를 중심에 놓은 보수주의 등 '주의'는 수없이 많다.

한 사회에는 구성원 대다수가 합의한 '주의'와 구성원 대다수가 반대하는 '주의'가 있다. 구성원 대다수가 반대하는 '주의'를 신봉하는 사람들에 대해 반사회적이라는 평가는 정당하다. 현재 우리 사회가 논란 없이 반대하는 '주의'는 '친일주의'가 으뜸이다. 친일주의는 우리 현대사에서 민족주의를 대신했다. 민족주의자들은 반공주의로 위장한 친일주의자들에 의해 죽임을 당했다. 해방 전후 민족주의는 광범위했고 활발했다. 민족주의 안에 좌파와 우파, 중도파가 있었고, 대중의 지지도 높았다. 독립운동사의 여러 논란도 민족주의를 중심에 두고 평가해야 그 진면목이 나타난다.

2019년 7월 초 일본은 반도체와 디스플레이 핵심 소재 3개 품목에 대한 수출제한 조치를 취했다. 뛰어난 리더는 현재를 미래로 가져가지만, 야비한 혹은 무능한 리더는 현재를 과거로 가져간다. 아베 생각의 중심은 메이지 시대, 극우 제국주의다.

프랑스 소설가 우엘벡이 쓴 소설 『복종』은 극우의 집권을 막기 위해 중도와 우파, 좌파가 연합하여 이슬람 정권을 탄생시킨다는 이야기다. 그런데 일본의 경우, 인종주의와 야만성을 특징으로 하는 극우가 이미 7년째 집권하고 있다. 국가든 개인이든 한번 방향을 잡으면 그 방향으로 이끌려 들어간다.

우리는 시민들이 나섰다. 불매운동에 대해 일본은 얼마 안 가서 잠잠해질 것이라 했고, 우리 일부에서는 관계 악화를 걱정했고, 또 다른 일부는 차분한 대응을 요청했다. 모두 틀렸다. 불매운동은 정서와 관련된 구조적인 현상이기에 얼마 안 가기 어렵다. 관계 악화와 차분한 대응은 일본의 우위를 가정한 친일주의의 관성적 사고이기에 틀렸다.

우리 사회는 이미 높은 수준에 도달해 있다. 권력의 작동 방식에 있어서 우리나라는 국가의 중대사에 대해 국민이 직접 나서는 직접민주주의가 강하게 작동하고 있다. 이번 일본의 도발은 우리에게 수준 높은 개인주의에 수준 높은 민족주의가 더해지는 계기가 될 것이다.

정책적 차원도 필요하다. 정책의 우선순위는 살리는 정책이 되어야 한다. 일본의 도발은 번영의 계기다. 번영은 산업정책을 통해 현실화된다. 산업정책 없이 번영을 이룬 나라는 없다. 우리는 뛰어난 산업정책의 전통을 가지고 있다. 멀리는 세종대왕의 과학산업정책이 있고, 가까이는 김대중정권의 IT산업정책이 있다. 김대중정권의 IT산업정책은 우리나라를 IT강국으로 만들었다. IT산업정책으로 인해 좋은 기회, 좋은 일자리가 무더기로 창출되었다.

책임회피성 자금 배분이 아니라 전후좌우방 효과가 큰 산업의 육성과 이익의 사회화 장치가 포함된 산업정책. 일본의 도발에 대한 우리의 대응은 잘 설계된 산업정책이어야 한다.

다른 시간과 다른 속도가 충돌하고 있다. 시대와 보조를 맞추지 못하는 집단은 쇠퇴할 수밖에 없다. 상대를 알고 나를 알고, 빠르고 정확하면 백번 싸워도 위태롭지 않다. 짧은 역사는 가고, 오래된 역사가 귀환하고 있다. 현재화된 역사는 생각과 실천의 힘을 강화한다. 거대한 바람의 강에서 시원한 자부심을 느낀다.

좋은 협력으로 함께 잘 사는 사회경제시스템을 꿈꾸다

나의 자유는 타인의 자유가 시작되는 곳에서 멈추어야 하듯, 나의 이익은 타인의 도구화가 시작되는 곳에서 멈추어야 한다. 원래라면 계절은 온갖 찬사에 우쭐해 있었을 것이고, 우리는 계절의 품에서 마시고 놀면서 때론 깊어지기도 했을 것이다. 가령 이런 것이다. “개구리는 올챙이 적 기억을 지워야 합니다. 자칫 훌륭해질 수도 있기 때문입니다. 훌륭해지면 그것을 감당해야 하는 삶은 피곤하고 힘들어집니다. 초심은 잊는 것이 좋습니다. 초심보다는 상황을 장악하는 게 더 중요하겠죠. 자칫 방심하면 초심으로 돌아가고 훌륭해질 수도 있으니 주의해야 합니다.” 그러나 올해 가을은 얼음 밑에서 헤엄치는 물고기를 보는 것과 같은 심정이다.

모든 인간적인 것은 귀한 것이 되었다. 우정이 그렇고, 환대가 그렇고, 좋은 협력이 그렇다. 우정은 삶의 원천으로 삼을 만하고, 환대는 도시적 차원으로 격상시킬 만하다. 그리고 이제, '좋은 협력'에 대한 논의를 시작할 때가 되었다.

좋은 협력이란, 함께 잘 살기 위해 시간과 노력과 힘을 합치는 것이다. 조폭들도 협력한다. 그러나 그들의 협력은 반사회적이고 그들만을 위한 협력이기에 좋은 협력일 수 없다. 좋은 협력은 함께 잘 사는 대의에 부합하는 협력을 말한다. 좋은 협력은 사람을 설레게 한다. 이념을 뛰어넘는다. 좋은 사건을 만든다. 타인과 사회를 존중하고 큰 목표에 헌신한다. 그리고 좋은 협력은 문제를 해결한다.

혹 좋은 협력이 없기에 제각각 불행한 게 아닐까? 톨스토이의 『안나 카레리나』첫 문장은 최고 중 하나로 평가된다. "행복한 가정은 모두 고만고만하지만 무릇 불행한 가정은 나름나름으로 불행하다." 이 첫 문장은 앞과 뒤를 바꾸어도 말이 된다. 행복한 가정은 모두 나름나름하지만 무릇 불행한 가정은 고만고만으로 불행하다.

도시의 차원에서는, '행복한 도시는 모두 나름나름하지만 무릇 불행한 도시는 고만고만하다.'로 수정할 수 있다. 불행한 도시의 고만고만한 이유에 해당하는 것이 '좋은 일자리'다. 이 문제가 해결되지 않기에 부산은 쇠퇴하는 도시, 먹고 살기 힘든 도시, 오래된 도시가 되어가고 있다. 그 속의 시민의 삶은 하향평준화를 향해 가고 있다.

신자유주의가 세상을 휩쓸던 시절이 있었다. 나만 잘 되면 되었고, 나만 아니면 되었다. 협력할 줄 모르는 사람, 협력을 이끌어낼 줄 모르는 사람 그러면서도 협력의 결과물을 독식하는 사람들이 대체로 좋은 자리에 갈 가능성이 높았다. 권력의지를 가지고 있고, 권력의 작동 방식을 파악하고, 관계망을 형성하는 것이 관건이었다. 일단 좋은 자리에 오른 다음에는 세상을 다 가진 듯, 자신의 왕국인 듯 호령하면서 수많은 사람들의 삶을 경멸하는 것이 이상하지 않은 시절이었다.

사실을 말하자면, 신자유주의적 인간형은 과거형이 아니다. 좋은 자리를 향한 반시대적인, 반이성적인 분투는 말을 독점하고, 말을 부패시키며, 사람을 도구화하고, 우월의식을 뽐내며 여전히 득세하고 있다.

'나만 잘 되면 그만이고, 나만 아니면 된다'는 시대를 우리는 이미 건너왔다. 내가 잘 되려면 주위가 잘 되어야 하고, 내가 아니면 남도 아니다. 그러나 명확히 말해져야 할 새로운 가치관은 부재한다.

어느 시대나 공백과 결핍은 있기 마련이다. 그 공백과 결핍이 곧 시대를 관통하는 시대정신이 된다. 좋은 협력은 부산의 정서와 만나 부산의 시대정신으로, 부산의 문화로서의 가능성을 가지고 있다.

협력을 잘 하고 협력을 잘 이끌어내는 사람일수록 좋은 사람일 가능성이 높다. 고객과, 정부와, 협력업체와, 노동자와 협력을 잘 하는 기업일수록 좋은 기업일 가능성이 높다. 시민과 협력을 잘 하고 시민의 협력을 잘 이끌어내는 정치인일수록 좋은 정치인일 가능성이 높다.

좋은 사람과 좋은 기업인, 좋은 정치인이 존중과 존경을 받고 잘 되는 사회경제시스템, 그런 사람과 기업과 정치인이 좋은 협력으로 문제를 해결하는 사회경제시스템, '좋은 협력의 시대'로의 전환을 생각해 본다.

4부 자유를 창조하다

자유를 열거하다

《삶의 작정은 하셨나요?

이 책은 실천과 연결된, 어떻게 살 것인가에 대한 질문을 던집니다. 질문을 회피하려 해도 소용없습니다. 질문은 끊임없이 되돌아옵니다.

돈 걱정이 빼곡할 때·술 마시고 귀가하는 밤에·'여긴 어디'라는 회의가 드는 곳에서·해야 할 일도 하고 싶은 일도 없는 시간에·분노가 몸을 움직이려할 때·사람과 세상에 신물이 날 때·기대가 무산되었을 때·찌질하고 쪼잔한 자신이 부끄러울 때·월급의 힘에 눌려 옴짝달싹 못하는 삶을 느낄 때 그리하여 삶이 한심한 밤 달을 올려보며, 어떻게 살 것인가를 고민합니다.

인류는 자유 확장의 역사입니다. 그들만의 자유에서 저마다의 자유를 향유하는 것으로. 자유는 개인마다 다를 수 있습니다. '책임과 의무를 떠안고 실천하는 것'도 자유입니다. 책임과 의무에서 도망 다니는 삶에는 변명과 구차함, 부끄러움, 한심함이 있습니다. 부자유가 있을 뿐입니다.

일제는 야만입니다. 그 야만에 우리 아나키스트들은 시대의 책임과 의무를 떠안고 실천했습니다. 인간의 선함을 신뢰했습니다. 자신을 희생했습니다. 자유를 창조했습니다. 위대한 삶입니다.

나림은 아나키스트입니다. 따뜻한 사람이었습니다. 삶의

품격을 잃지 않았습니다. 웅장했습니다. '단단한 자유를 누렸습니다.' 지금은 사라진 인간입니다. 미안함이 앞섭니다. 원고를 읽고서야 나림을 온전히 이해한 느낌입니다.

나림은 아나키즘과 자유라는 관점에서 봐야 합니다. 그는 이념의 도구가 되는 삶을 거부했습니다. 삶이 글을 못 따라간 작가가 아니라 글이 삶을 못 따라간 작가입니다.

설렘이 큽니다. 깊어진 느낌도 듭니다. 뿌듯합니다. 삶은 결국 자유 확장의 문제입니다. 독자 여러분 고유의 자유가 창조되기를 기원합니다. 나림의 문장으로 마무리합니다.

"너의 자유는 너 자신이 창출하라!"》『나는 자유』 출판사 서평

조광수
나는
자유
나림 이병주 문학과 아나키즘

자유는 책임과 의무를 떠안고 실천하는 것이다. 책임과 의무의 회피에는 부자유가 있을 뿐이다. 실천을 미루는 것 또한 부자유다. 책임과 의무를 떠안고 실천하는 것에서 당당한 자부심이 솟아난다. 그 곳에서 새로운 지평, 예상치 못했던 가능성이 출현한다. 자부심과 가능성은 삶을 밀고나가는 실질적인 힘이자 에너지다.

자유는 인정욕망 밖에 있다. 인정은 생존과 직결되어 있기에 지금까지 강렬하게 남아 있는 것이다. 우리는 진화의 산물이다. 인정욕망의 작동을 감지하지 못하면 인정욕망은 삶을 끌고 간다. 삶이 인정욕망에 코가 꿰는 것이다.

자유는 성욕에서 풀려나는 것이다. 성욕은 눈을 가린 성난 황소다. 드물게 마주하는 깊이와 무경계, 유연함은 성욕에서 풀려난 덕분이다. 성난 황소가 진정된 후에야 올바로 보인다. 그래서 나이 듦은 축복일 수 있다.

자유는 초심을 잃는 것이다. 초심으로 사는 것은 반팔 옷을 입고 꽁꽁 언 호수 위에 서는 것과 같다. 춥고 배고프고 외롭고 미끄럽다. 초심보다는 상황을 장악하는 것이 중요하다.

자유는 용감이다. 자기는 자신 보기를 멈추지 않는다. 비겁은 틈을 낸다. 그 틈으로 삶의 생기가 빠져나간다. 아나키스트들은 용감했기에 틈이 없었고 그래서 생기가 넘쳤다. 그들의 삶은 위대했다.

자유는 생각난 것을 바로 실천하는 사행일치思行一致다. 망각은 흘러간 물과 같다. 생각난 것을 바로 해야 찌꺼기가 남지 않는다. 생각난 것을 바로 해야 다음으로 원활하게 넘어간다.

자유는 내버려두기다. 시간은 신비롭고 묘한 어떤 것이다. 그 신비롭고 묘한 작용은 신뢰할 수 있는 것이다. 많은 경우 문제는 시간이 해결한다. 의지의 개입은 사태를 더 악화시키기 십상이다. 우연과 변화는 필연과 불변에 우선한다.

자유는 광활한 시각이다. 의식적인 노력이 없는 한 사람은 옹졸로 간다. 옹졸은 자기 괴롭히기에서 타인 괴롭히기로 나아간다. 광활한 시각은 인간과 세상에 대한 연민에서 배양된다. 광활한 시각은 위에서 내려다보기다. 광활한 시각은 호혜로 실천된다.

자유는 무신념·무중독이다. 종교적 신념이든 정치적 신념이든 경제적 신념이든 신념은 삶을 경직시킨다. 술 중독이든 담배 중독이든 약물중독이든 중독은 삶을 옭아맨다. 신념과 중독은 우연과 변화·탄력·적응이라는 생명체의 본질에 반한다.

자유는 자연스러움이다. 종從된 맘은 그치고 꺼린다. 자체의 동력이 없다. 눈치보고 아부한다. 부자연이다. 주主된 맘은 거침없고 거리낌이 없다. 자체의 동력을 가지고 있다. 나아간다. 자연이다.

자유는 관계의 단념이다. 관계는 우주와 인간의 핵심이다. 관계는 맺는 것만큼 포기하는 것도 중요하다. 도구화의 느낌이 들 때 관계를 단념해야 한다. 그래야 감정과 에너지를 아낄 수 있고 새로운 관계를 모색할 수 있다.

자유는 지식이다. 모르면 답답하다. 모르면 미룬다. 모르면 피한다. 모르면 하기 싫다. 모르면 불편하다. 모르면 무시를 감수해야 한다. 모르면 도구로 전락한다. 알면 시원하다. 알면 당장 한다. 알면 하고 싶다. 알면 편하다. 알면 존중받는다. 알면 도구가 안 된다.

자유는 다시 시작하는 것이다. 우리는 반드시 실패한다. 실패는 보편적이다. 자유는 다른 삶에 대한 상상력이고 실행하는 힘이다.

자유는 의미 없음을 받아들이는 것이다.

옹졸한 현재주의를 비판하다

점검과 전망의 시간이다. 삶의 중심에 놓았던 것은 덫으로, 상처로 변하기 십상이다.

장 그르니에는 『섬』에서 "매순간 우리들의 상처를 통해서 우리 자신의 삶이 새어나가도 속수무책"이라고 했다.

최인훈 작가는 『광장』 일역판 서문에서 "살아가는 누구나, 이 세상을 살면서 무언가 저마다 짐작을 가지고 살아간다. … 그런데 그 삶의 짐작을 아무도 가르쳐주지 않고, 혼자 힘으로 깨닫기는, 혼자 태어나기가 어려운 만큼이나 어려운 시대라는 것은 끔찍한 일이다. 이렇게 되면 사람은 허둥지둥하게 된다."고 적고 있다. 최인훈 선생의 짐작은 전망일 게다. 점검과 전망은 옳다. 감수성, 관점, 시간 그리고 사건의 차원에서 점검하고 전망하는 것은 무용치 않으리라.

감수성은 사람 수만큼 있다. 공부에 대한 감수성, 운동에 대한 감수성, 타인에 대한 감수성, 유머에 대한 감수성, 일에 대한 감수성, 진부함에 대한 감수성 등등. 타고난 감수성이 있는 반면 필요한 감수성도 있다. 정치적 감수성과 돈에 대한 감수성이 그것이다.

정치적 감수성은 실은, 정치인에게는 큰 필요가 없다. 아리스토텔레스가 "인간은 정치적인 동물이다."라고 말한 뜻은 일상생활의 대부분이 정치적이라는 의미일 것이다. 또 방어적 차원에서도 정치적 감수성은 필요하다. 정치적 감수성은 관계를 만들고, 관계는 미래를 결정짓는다. 그리고 정치적 감수성은 도구화되는 것을 막아준다. 타인의 시간과 노력을 빼앗는 도덕적 착취는 보통 근사한 가면을 쓰고 달콤한 말과 함께 다가오기에 인지하기가 쉽지 않다.

관점은 '입장의 이입'이다. 정당하면서도 좋은 관점을 가지는 것은 관성의 힘을 뚫어야 하므로, 쉽지 않다. 우리는 강자의 관점에서 세상을 보고 해석하는 데에 익숙하다. 자연스럽기조차 하다. 미국의 관점에서, 중국의 관점에서, 대기업의 관점에서, 특권층의 관점에서 그리고 서울의 관점에서. 오류다. 시대착오다. 혹 관점의 잘못 때문에 현실성이 가능성을 뭉개고 있는 현실에 저항하지 못하는 것이 아닌지 의심해 봐야 한다. 자신의 관점을 세운 후 호혜적 희망을 설득하는 것. 문제해결과 탁월함은 거기서 싹을 틔운다.

시간은 고통일 수 있다. 고정불변의 실체로서의 '나'가 없듯이, 현재라는 시간도 상대적이다. 물체 덩어리에 가까울수록, 빨리 움직일수록 시간은 천천히 흐른다. 현재만 실재이고 과거와 미래는 실재가 아니라는 현재주의는 곧잘 허위의식과 결합한다. 그래서 옹졸하고 치졸한 느낌을 지울 수가 없다. 과거는 우리를 인도하므로 우리 앞에 있다. 과거와 현재와 미래는 모두 중시되어야 한다. 그리고 시간에는 소유관계가 명확하다. 몰입하는 시간이 있는가 하면 겉도는 시간도 있다. 광장과 밀실이 연결되어 있어야 하듯 몰입하는 시간과 겉도는 시간은 서로 관계 맺고, 통해 있어야 한다.

세상은, 삶은 사건이다. 이탈리아 태생의 이론 물리학자 카를로 로벨리는 『시간은 흐르지 않는다』에서 "인간은 사건들 사이의 관계다. 세상은 서로의 관계 속에 존재하는 관점들의 총체와 같다."고 말한다. 삶의 생기는 의지가 아니라 사건에서 나온다. 감수성과 관점과 시간은 사건에 이르러서야 통합되고 구현된다. 개인의 삶이건, 도시의 집단적 삶이건 좋은 사건이, 절실하다.

좋은 사건은 더 좋은 사람이 되게 하고, 더 많은 사람들과 향유하게 하고, 더 나은 위치에 있게 하고, 더 뿌듯하게 하고, 더 아름답게 기억되게 하고, 우정을 낳고, 마음을 설레게 하다. 사건을 통해 새로운 상호작용이 일어나고 관계가 형성된다. 관계에서 양은 질을 가로막는 걸림돌이다. 관계는 양이 아니라 질이다. 관계는 새로운 가능성이다. 사건의 입장에 서면 인간과 사물과 사정은 달라진다.

현실성에 질식되지 않은, 가능성에도 몰입하는 더 나은 삶의 가능성은 분명 존재한다. 때로 실망하고 슬프고 우울할지라도 타고난 감수성에 필요한 감수성이 더해지고 문제를 해결하는 탁월한 관점을 세우며 인간 삶에 내재한 시간의 고통을 덜 느끼는, 좋은 사건을 만들고 좋은 사건이 이끄는 대로 몸을 내 맡기는, 그리하여 삶이 근사하기를.

두고 온 것을 그리워하다

두고 온 것을 그리워했다. 떠밀려 살지라도, 납득할 수 없을지라도 삶은 이어지기 마련이다. 시간은 썩고 있었다. 결단은 다시 시작하는 것이다. 기어코 다른 관점을 갖는 것이다. 관점觀點은 보는 위치다. 보는 위치에 따라 자신과 세상은 다르게 인식되고 해석된다. 다르게 인식되고 해석되면 다르게 행동한다. 다른 행동들 중에 탁월한 것이 솟아난다. 그 탁월한 것이 문제를 해결한다. 문제해결은 또 다시 새로운 관점으로 진화한다.

인간의 삶에는 어쩔 수 없는 쓸쓸함이 있다. 쓸쓸함은 근원적인 것이다. 근원적인 것이기에 모두가 몸 어딘가에 가지고 있다. 제각각 모두의 것이란 점에서 위안을 얻을 뿐이다. 가난과 막막함, 절박함도 쓸쓸함이다.

권태도 근원적인 것이다. 감정은 쉬지 않는다. 권태는 일과 걱정이 빠져나간 마음의 빈자리를 채운다. 권태는 때로 삶을 뒤튼다. 고통을 선택하게 하고, 불행 속으로 들어가게 하기도 한다. 쓸쓸함과 권태는 몰입이 필요한 강력한 이유다.

책 읽기는 괴롭지만 질리지 않는 취미다. 괴로움책을 모으는 것과 괴로움 속으로 들어가는 것에 대한 집착은 심해지고 있다. 여러 잔소리와 비난에도 불구하고 꿋꿋한 것을 보면 중독을 의심해 봐야 한다. 중독에 관한 일이라면 우리를 움직여가는 우리 안의 것들을 들여다봐야 한다. 역사에서 정당성과 자기 합리화를 구하듯 우리 안의 것들도 합리화의 도구로써 제격이다.

호르몬은 많은 것들을 설명하고 납득시킨다. 모든 중독은 도파민과 관련이 있다고 한다. 맛있는 음식, 과식, 운동, 음주, 마약, 권력, 부, 영향력, 복수, 갑질 등은 쾌감과 관련된 도파민의 분비를 촉진시킨다. 그 결과 보다 충동적이고 남을 배려하지 않는 행동을 한다. 자신을 되돌아보지 않는다는 얘기다.

오늘의 이야기를 하기 위해 제법 돌아왔다. 두고 온 것, 쓸쓸함과 권태 그리고 괴로운 책읽기와 호르몬을 거쳐 겨우 본론을 시작할 수 있게 되었다. 단연코 좋은 글쓰기는 아니다.

간혹 깊은 관점을 만난다. 깊은 관점을 만나는 날은 횡재한 날이다. 반갑다. 두 팔을 크게 펼쳐 환대한다. 쓸쓸함과 권태는 흔적 없이 사라진다. 깊은 관점은 자기를 돌아보게 하고, 진부함을 깨고, 삶의 실상을 밝힌다. 깊은 관점은 통찰력이고 애정이다. 깊은 관점은 생각을 확장시킨다. 생각의 확장은 뇌의 신경세포들이 새롭게 연결되는 것이다. 성인의 뇌는 시냅스의 개수가 더 적고, 강도는 더 강하게 연결되어 있다. 그 결과가 고착화된 선입견과 감정이다. 그런데 생각의 확장으로 뉴런들이 새롭게 연결되면 선입견은 작아지고 융통성은 더 커지게 된다.

삼국유사와 21세기 한국학 <1> 삼국유사는 앞선 한국학이다

기록 모은 자료집일 뿐이라고? 수천년 역사·문화 다룬 '국학'이다!

정천구 고전학자 | 입력 : 2020-08-31 20:05:04 | 본지 20면

- 지난 100년간 역사학계는
- 귀한 역사기록의 모음집 정도로
- 삼국유사의 가치를 평가해 왔다

- 그러나 사료를 해석하고 논하는
- 일연의 기술방식을 들여다보면
- 엄연한 학문서임을 알 수 있다

- 우리 민족의 특수성과 강인함
- 그 원천이 무엇인지 궁금했다면
- 이 책이 그 답을 줄 지도 모른다

우리 민족의 고전인 '삼국유사(三國遺事)'(1289년)는 20세기 초 일제 강점 아래서 민족의 정기가 말살당할 위협에 처했을 때 비로소 조명받기 시작했다. 그때 단재(丹齋) 신채호(申采浩)는 '조선사(朝鮮史) 정리(整理)에 대한 사의(私議)'(1920년대)라는 글에서 "삼국유사는 그 저자 일연(一然)이 조선의 불교원류(佛敎原流)를 기술한 자이니, 이는 조선종교사(朝鮮宗敎史)의 일부분이 될 뿐이다. 참 조선을 알게 된 조선사가 아니다"고 썼다.

경북 경주시 양북면의 감은사지. 신라 문무왕의 사연과 함께 '삼국유사'에 등장한다.

출처: 국제신문

《삼국유사와 21세기 한국학》은 탁월한 콘텐츠다. 깊은 관점으로 인해 고대사가 시간 여행을 한 느낌이다. 고대사는 흔히 소수의 지적 유희에 그치는 경우가 많지만 《삼국유사와 21세기 한국학》은 그러한 한계를 가볍게 뛰어넘는다. 《삼국유사와 21세기 한국학》은 지금 우리 시대를 이야기하고 있다! 여기에 극적인 전개 방식과 합리적 추론, 섬세한 문학적 표현까지 더해지니 재미있지 않을 수 없다.

《삼국유사와 21세기 한국학》을 읽은 후 생각은 까뮈의 말 '나는 저항한다. 고로 나는 존재한다.'로 나아갔다. 이 말은, 물론 데카르트의 '나는 생각한다. 고로 나는 존재한다,'Cogito, ergo sum를 오마주한 것이다. 뒤이어 생각은 배타주의, 집단이기주의, 무배려, 시대착오를 특징으로 하는 관료사회의 엘리트주의에 이르렀다.

권력은 몸의 호르몬을 변화시킨다. 권력은 남성호르몬 테스토스테론과 만족감을 주는 호르몬 도파민의 분비를 촉진하고, 그 결과 뇌의 안와전두엽이 손상된다. 도덕관념이 약화되고, 더 거짓말을 하고, 법을 위반하고, 타인을 배려하지 않고, 자책하지 않는다. 가지는 좀 더 뻗었다.

큰 정의와 작은 정의의 문제, 대학 소멸에 대한 대응으로써 대학기업의 문제, 리액션만 있고 액션은 없는 문제, 실질적인 도움의 문제, 공동체주의와 개인주의의 양립가능성의 문제 등등.

메이저의 삶의 있고, 마이너의 삶이 있는 것은 아니다. 제각각 최선의 삶들이 있을 뿐이다. 그 최선의 삶들이 모여 역사가 되었고, 지금의 우리가 있다. 최선의 삶들이 무시되어서는 안 된다. 저마다의 애환이 깊다. 우리는 살기 위해 태어난다. 잘 살기 위해 살아간다.

자아 고갈되고 충전되다

땀으로 여름을 맞았다. 사실은 감당이 안 되는 땀이라 해야 맞을 것이다. 이제 더위는 경험하지 못한 수준일 가능성이 높아졌다. 지구온난화로 제트기류의 흐름이 약화됨에 따라 더운 공기를 몰아가지 못하고 이것이 열돔 현상을 일으키고 있다고 한다. 이미 캐나다에서는 50도가 넘는 폭염으로 수십 명이 사망했다는 보도가 있었다. 주제 사라마구는 『눈먼 자들의 도시』에서 '삶은 연약하다. 눈이 멀어 어디로 갈지 모른다.'고 했다. 땀 때문에 삶이 연약해지고 있다.

누구에게나 약한 지점이 있다. 땀이 나는 순간 여유 있고 거칠 것 없던 삶은 사라지고, 경박해지고 소심해진다. 당황하고 허둥대기 시작한다. 생각은 온통 땀과 땀 냄새와 땀이 배어나는 옷에 집중된다. 정신이 혼미해진다. 그리하여 자아는 고갈되어 간다.

자아고갈은 댄 애리얼리의 『거짓말하는 착한 사람들』에 나오는 개념으로, 플로리다 주립대학의 로이 보마이스터 Roy Baumeister 교수가 처음 제시했다고 한다. "자아고갈이란 억지로 뭔가를 하도록 자신을 독려한다면, 다음 도전이 닥쳐왔을 때 자제력을 발휘하지 못하거나 그럴 능력이 줄어드는 현상이다. 욕망을 이겨내는 데에는 노력과 에너지가 소모되고, 충동을 억제하려는 모든 시도가 오히려 자제력을 약화시키고, 그 결과 우리는 유혹에 더욱 취약해진다. 유혹에 맞서 싸울 힘은 시간이 흐를수록, 유혹이 축적될수록 약해진다."

자아고갈은 옆으로 살짝 밀어놓고, 이제 여러 살殺들을 등장시켜야 한다. 간살看殺이라는 말이 있다. 볼 간 죽일 살. 쳐다봐서 죽인다는 뜻이다. 위진남북조 시대 위개라는 미남이 살았다. 얼마나 잘 생겼던지 외출을 하면 그를 보기 위해 사람들이 몰려들었다. 위개는 어느 날 외출했다가 구경꾼들에 둘러싸여 혼절한 후 시름시름 앓다가 죽었다.

간살로부터 시작된 생각은 언살言殺로 이어졌다. 말씀 언 죽일 살. 말로 죽인다는 뜻인데, 실은 말로 시간과 관계를 죽인다는 의미다. 언살은 말의 독점이라고도 할 수 있다. 권력자나 연장자, 상사들은 흔히 말을 독점하고 있다. 말의 독점은 우월함을 과시하는 권력작용일 가능성이 농후하다. 말은 아직 민주화되지 않은 채 독재의 영역에 남아 있다.

문살文殺도 있다. 글로 죽인다는 뜻이다. 구체적으로는 진부한 글로 읽는 사람의 시간을 죽인다는 의미다. 들으나마나한 말을 듣는 것이나 읽으나마나한 글을 읽는 것은 괴로운 일이다. 좋은 글은 인간에 대한 깊은 이해와 삶의 실상을 드러낸다. 이런 점에서 『토지』는 기념비적인 작품이다. 삶에 내재한 서러움을 아는 것에서 나오는 연민의 감정은 『토지』를 관통하는 정서다. 1897년부터 1945년까지의 이야기가 2021년 우리에게도 깊이 꽂힌다.

전살錢殺은 돈 때문에 죽는 것을 말한다. 돈은 힘이요 권력이자 명예고 안락함이다. 그러기에 돈 때문에 죽고 산다. 식살食殺도 있다. 많이 먹어서 죽는다는 것이다. "2010년 비만으로 죽은 사람은 300만 명이다."『호모 데우스』중에서 애살은 샘이 나서 죽는 것을 말한다. 자신의 행불행에 결정적인 영향을 미치는 것은 가까운 사람의 성공이나 실패라는 말과 같이 샘은 삶을 갉아 먹는다. 염살炎殺은 더워서 죽는다는 뜻이다. 답답살은 답답해서 죽는다는 의미다.

이제 옆으로 밀어놓았던 자아고갈과 여러 살들이 만나야 한다. 언살, 문살, 전살, 식살, 애살, 염살, 답답살 때문에 자아는 급격하게 고갈되어 간다. 자아가 고갈되면 쉽게 짜증과 화를 내고, 유혹과 중독, 사기에 넘어간다. 식욕을 촉진하는 그렐린이라는 호르몬은 밤 12시 이후 많이 분비되는데 식욕에 저항하지 못하고 배불리 야식을 먹는 것도 낮 시간 동안의 자아고갈과 관련이 있다. 자아가 고갈되면 어리석은 판단과 결정을 하게 되므로 중요한 판단과 결정은 자아고갈 전에 하는 것이 바람직하다.

황옥공주의 구슬을 찾아라!
오만데 삼총사의
대모험 1

자아고갈이 있다면 자아충전도 있다. 휴리스틱 즉 어림짐작이나 고정관념 사용하기, 남의 시간을 자기 시간으로 전환하는 잔머리, 낮잠, 초심 잃기, 최선을 다하지 않기, 유튜브의 〈no surrender festival〉을 최대 볼륨으로 들으며 그 자유롭움을 느끼기, 기대의 분산 그리고 『오만데 삼총사의 대모험』과 같은 좋은 동화책 읽기 등등. 자신을 닦달하지 않고 어루만지고 보살피는 여름나기, 어렵지만 건너야 할 과제를 앞두고 있다.

글 생각 사람 선거 정치 정치인의 현재성을 고민하다

현재성이 없으면 헛것이다. 현재성이란 지금의 삶과 관련이 있고 삶의 변화와 실천을 이끄는 어떤 것을 뜻한다. 과거와 미래의 것들 중 일부만 현재성이 있다. 특정한 공간과 음식, 생각, 감정, 기술 등 현재성이 있는 것들은 발견되고 변주되며 산업화된다. 현재성이 없으면 보편성이 없다. 개별성에서 멈춘다. 글도 그렇고 생각도 그렇고 사람도 그렇다. 선거와 정치, 정치인도 그렇다.

헛말과 헛글이 도시를 채웠다. 지난 지방선거를 두고 하는 말이다. 전화와 문자 메시지는 폭력에 가까웠다. 차단도 소용없었다. 다른 구나 시 심지어 다른 도의 전화와 문자까지 실로 끊임이 없었다. 거기에 시대와는 한참 먼 현수막의 구호들과 선거운동 트럭의 소음까지. 보고 싶지 않은 것을 봐야 하고, 듣고 싶지 않은 것을 들어야 하는 상황은 짜증이다. 짜증은 불필요한 에너지 소모다. 선거는 이제, 민폐다.

선거와 정치인 그리고 정치의 현재성을 고민할 때가 되었다. 선거는 운이다. 능력과 실력이 아니다. 경력과 바람도 아니다. 상황이 빚어내는 결과일 뿐이다. 그렇다고 선거에 천인감응설이 작동하는 것은 아니다. 천인감응설은 음양오행, 점, 주술, 풍수, 도참으로 확장되었고 아직도 작동을 멈추지 않고 있다. 역사에서 천인감응설에 의존한 왕들은 그 말로가 좋지 않았다. 천인감응설은 헛것이다.

선거는 열성지지자다. 열성적 지지자야말로 선거의 핵심이다. 열성적 지지자는 선거의 승패와 상관없이 정치 전 영역에 걸쳐 가장 중요한 요소다. 이기고 세력 축소되는 경우가 있고, 지고도 세력이 확장되는 경우가 있다. 이기고도 세가 흩어지는 경우는 논공행상이 잘못됐기 때문이다. 고생한 사람들을 챙겨야 한다. 그들에게 상을 주어야 한다. 그러나 자리를 주어서는 안 된다. 자리는 최고의 인재를 모셔 앉혀야 한다.

유방과 노무현은 지면서 힘이 세졌고, 항우와 윤석렬은 이긴 후 힘이 빠졌다. 유방과 노무현에게는 인간적 매력과 현재성이 있었다. 항우와 윤석열에게는 그런 것이 없다. '전 정부와 반대로'가 올바른 국정 방향일 리 없다. 열성적 지지자는 이익과 이념, 매력 그리고 시대가 만든다. 열성적인 지지자가 흩어지지 않아야 오래 간다. 패배를 실패로 인식하지 않을 수 있다. 열성지지자를 모으고 확장하는 것, 선거와 정치의 요체다.

선거는 상교相交,호혜주의여야 한다. 반드시 자기여야 한다며 얼굴 붉히며 목소리를 높이는 선거운동은 후지다. 고문하는 말·글·노래가 아니라 좀 조용히, 자기를 한발 물러 세우고 시대를 이야기하는 말·글·좋은 음악·부산 노래로 하는 선거운동, 선거운동에도 시민의 편익이 관철되어야 하지 않을까.

발견의 시대
새로운 사회, 무엇을 발견하고
무엇을 요구할 것인가?
더 나은 사회를
꿈꾸며 던지는
7가지 화두
직접민주주의
협력경제
나쁜 사회 속에
좋은 삶은 없다
BOOK

정치인은 신분이 아니라 기능이다. 정치인을 신분으로 인식하는 배후에는 정치제일주의라는 것이 있다. 망령이다. 정치인도 사회의 수많은 직업 중 하나일 뿐이다. 정치제일주의적 정치꾼에게 타인은 자신을 위해, 자신의 숭고한 이상 실은 자기의 야망을 위해 희생되어도 좋은 존재다. 정치인이 신분이라는 착각에서 비극이 움튼다. 전능감을 향유하며 때로 괴물로 진화하기도 한다.

"정치인은 더 나은 사회를 위해 헌신하지만, 정치꾼은 자신의 성공을 위해 헌신한다.
정치인은 진정성을 가지고 있지만, 정치꾼은 계산기를 가지고 있다.
정치인은 권력의지가 없지만, 정치꾼은 권력의지가 이글거린다.
정치인은 발견되지만, 정치꾼은 핏대 세우며 자신을 선전한다.
정치인은 인간에 대한 깊은 이해를 가지고 있지만, 정치꾼은 인간을 도구화한다.
정치인은 어떤 일을 하는 것이 목적이지만, 정치꾼은 무엇이 되는 것이 목적이다.
정치인은 시장에 굴복하지 않지만, 정치꾼은 시장에 굽신

거린다.

정치인은 명예와 부끄러움을 알지만, 정치꾼은 힘 있는 사람을 안다.

정치인은 역사를 만들지만, 정치꾼은 역사를 왜곡한다.

정치인은 미래를 현재로 가져오지만, 정치꾼은 현재를 과거로 가져간다.

정치인은 배우려는 자세를 견지하고 있지만, 정치꾼은 학벌을 우려먹는다.

정치인은 시대의 과업을 떠안지만, 정치꾼은 공천 주는 자의 과제를 떠안는다.

정치인은 타인의 고통을 깊이 공감하지만, 정치꾼은 사진 찍기에 깊이 공감한다.

정치인은 말이 기어 다니지만, 정치꾼은 말이 날아다닌다.

정치인은 대화를 하지만, 정치꾼은 말을 독점한다.

정치인은 인간을 보지만, 정치꾼은 의전을 본다."

『발견의 시대』중에서

정치꾼은 도움도 되지 않는다. 폼 잡기 바쁘고 사진 찍기에 바쁘기 때문이다. 정치꾼 곁에 열성적 지지자들이 있을 수는 없다. 욕하면서 흩어진다. 그럼에도 정작 정치꾼 자신은 다음 선거에서 당선을 확신한다. 정치인은 한정된 자원을 가장 효율적인 곳에 배분하는 기능을 하는 사람일 뿐이다.

정치인은 발견되어야 한다. 정치 영역이, 권력욕 강한 사람들의 자기 욕망 충족의 장場인 한 저열함을 피할 수 없다. 열성적인 지지자들이 좋은 정치인을 발견하고 키우는 것으로 한발 나아가야 한다.

정치는 문제해결이다. 문제해결은 희망의 설득과 좋은 제도 그리고 개념의 전환을 통해 가능하다. 부산은 쇠퇴 문제를 해결해야 한다. 쇠퇴에 저항해야 한다. 쇠퇴에 대한 수많은 해결책이 제시되었지만 모두 서울적인 것 혹은 부분적인 것이었다. 쇠퇴 문제에 대한 경제적 접근은 예고된 실패다. 경제적 접근은 그 어떤 것이든 서울중심주의를 극복하지 못한다. 그래서 예산이 투입될 때 잠깐 반짝하다 시간이 가면 흔적도 없이 사라지는 현상이 반복되고 있는 것이다. 경제적 접근은 예산을 낭비하고, 빼먹는 수준에서 멈춘다.

국가의 시대에서 도시의 시대로
환대의
도 시
부산은 대륙과 해양이 만나는 접점에서
세계를 향해 두 팔을 활짝 벌리고, 세계를 환대하는 도시로 가야 한다.
환대하고 환대받는 사람들이
함께 향유하는 도시

쇠퇴 문제는 개념의 차원에서 접근해야 한다. 탁월한 개념 하나가 도시를 번영으로 이끈다. 그 개념이 행복도와 자존감이 높이고 도시의 품격을 올린다. '환대', '환대의 도시 부산!' 환대는 도시와 시민에게 생기와 매력을 불어넣는다. 당장 실천할 수 있다. 개방적이다. 인간 중심이 아니라 인간적인 사회경제정치 시스템이다. '환대의 도시 부산'은 환대를 도시 차원으로 끌어올린 것이다. 환대는 부산의 과거와 현재와 미래가 만나는 단 하나의 단어다. '환대의 도시 부산', 부산의 아름다운 시절 그리고 강력한 현재성. 고민해봄직 하다.

도구화에 분노했고 삶의 실상을 이야기했던 사람
인간에 대한 이해가 깊었고 운명을 거침없이
감당했던 한 사람을 생각하다

'역사가 생명을 얻자면 소설의 힘, 문학의 힘을 빌려야 한다.' 이병주

이병주 문학이 생명을 얻자면 이병주 문학의 현재성을 발견해야 한다. 우리는 이병주 문학을 알아야 한다. 우리는 이병주 문학을 알 수 있다. 도구화의 문제는 여전한 현재형이고, 어떤 우연이 만드는 운명 또한 그렇기 때문이다.

사람이 없는 공간에선 감정이 일어나기 마련이다. 감정에는 희노애락과 같은 1차적이고도 직접적인 감정이 있는가 하면, 서러움이나 연민과 같은 2차적이고도 간접적인 감정이 있다. 삶이 깊어지는 것이란 직접적인 감정에 덜 휘둘리고 간접적인 감정에 더 많이 의지하는 게 아닐까? 하동의 시월은 빛나고 있었다. 아름답게 쓸쓸했다. 2020년 10월 하동 이병주 문학관이었다.

하동의 환대는 가슴에 남았고, 근사한 선물 '솟대'는 사무실 원탁 위에 자리를 잡았다. 그리고 '나의 이병주 읽기'는 시작되었다. '나의 이병주 읽기'란 실은 「예낭풍물지」에 등장하는 '나도 나의 예낭이란~, 그러나 나의 예낭을~, 그렇다고 해서 나의 예낭이~, 나의 예낭은~'이라는 표현에서 유래한 것이다. '나의 이병주 읽기'는 '나의 예낭'과 크게 다르지 않으리라.

李炳注 歷史大河小說
바람과 구름과 碑
1
韓國敎育出版公社

『지리산』에서 『산하』까지는 가파른 길이었다. 숨을 헐떡이고, 한숨짓기도 했다. 『청사에 얽힌 홍사』에서 『관부연락선』, 『소설·알렉산드리아』, 『매화의 인과』, 『마술사』, 『쥘부채』, 『패자의 관』, 『변명』, 『예낭풍물지』, 『겨울밤』, 『망명의 늪』, 『제4막』, 『문학을 위한 변명』까지는 평탄한 길이었다. 『별이 차가운 밤이면』은 아까운 길이었다. 『비창』, 『그 테러리스트를 위한 만사』는 가속도가 붙은 길이었다. 그러고도 읽어야 할 책은 책꽂이에 있다. 『바람과 구름과 비』, 『행복어사전』, 『운명의 덫』, 『허와 실의 인간학』 등.

이병주 문학은 책읽기의 괴로움보다는 행복한 책읽기에 가깝다. 재밌다. 심리묘사, 상황묘사, 자연묘사가 뛰어나다. 글쓰기에 대한 독창적인 시도가 많다. 빛나는 통찰이 곳곳에 박혀 있다. 대사가 좋다. 지금 이야기로 쉽게 확장된다.

이병주 읽기가 쌓여가던 어느 날 질문들이 솟아올랐다. '그는 왜 이토록 많은 글을 썼을까? 무슨 말을 하고 싶었던 걸까? 생존해 있다면 어떤 글을 썼을까?' 나는 이 물음에 답하고 싶었다.

이병주 문학은 크게 두 줄기로 뻗어있다. 인간의 도구화 문제와 운명의 문제가 그것이다. “이야기는 반드시 공동적으로 체험하고 전승하는 틀이 있고, 공동의 체험과 사실을 자신의 구체적 상황에 맞게끔 개인화하는 자유로움이 있다.”『한국 구비문학의 이해』, 16p 『지리산』과 『산하』와 같은 대하소설이 주로 도구화의 문제를 다뤘다면 그 외 장단편 소설은 대체로 운명의 문제를 이야기하고 있다.

『지리산』은 1938부터 1956년까지의 민족사를 1972~1977년까지 월간 《세대》지에 연재한 것을, 1985년 원고지 3,000매 분량의 뒷부분을 첨가하여 7권으로 출판되었다. '봉선화는 담장의 그늘 속에 이슬을 머금고 수줍은 분홍 빛깔이었다.'라는 첫 문장으로 그 긴 드라마를 시작한다. 주인공 박태영에 대해 작가는 '이렇게 비로소 파르티잔적인 인간이 되었다는 자각은 박태형으로 하여금 복잡한 자의식을 갖게 했다. 무한한 자기신뢰로써 흐뭇해진 대신 모처럼 얻은 이 자기신뢰가 보람을 꽃 피우기도 전에 절멸할 것이 아닌가 하는데 대한 허무감이었다.'라고 적고 있다.

또 작가 후기에 '특히 하준규, 박태영은 세상을 제대로 만났더라면 대인물로서 성장할 수 있는데 그들에게 운명은 너무나 가혹했다.'라고 아쉬움을 표하고 있다. 그래서 『지리산』에는 스스로를 소중히 여기고 아껴야 한다는 '자중자애'라는 단어가 빈번하게 사용되었으리라. 이념의 도구가 된 삶의 허망함과 그 도구화를 통해 잇속을 챙기는 자들에 대한 분노의 정서가 『지리산』 전체에 흐르고 있다.

李炳注
實錄大河小說
山河
第1部 背信의 日月

『산하』는 1945년 8월 15일부터 1964년까지의 이야기로 1974~1979 동아일보에 연재한 것을, 1985년에 4권으로 출판했다. 경남 김해의 노름꾼이자 일자무식꾼 이종문이 서울로 상경하여 성공하고 몰락한 과정을 그린 소설이다. 이종문을 둘러싸고 있는 인물은 대부분 이념형의 인간들이다. 그 속에서 이종문은 거침없이 자기의 삶을 산 사람이다.

『산하』는 '그러나 삼각산이 춤을 추건 낙동강이 노래가락을 불렀건 우리의 이종문이 알 바가 아니었다.'라는 실질적인 첫 문장으로 시작한다. 이념형 인간들에 대해서는 '정치에 미쳐있는 사람들은 좌나 우나 봄을 몰랐다. 봄을 모른다기보다 계절에 무관했다. 핏발이 선 눈은 꽃도 신록도 보지 못한다.'며 비판한다.

인간의 도구화에 분노했다는 점에서 이병주 작가는 시대 위에서 시대를 내려다봤고 또 시대를 앞섰다. 이제 지금의 도구화 문제를 생각해야 한다. 타인의 몸과 마음을 자기 것같이 이용하여 잇속을 챙기는 정치적 도구화의 문제는 그 범위가 넓지는 않다. 이념의 시대는 갔고, 시민의식은 정치인의 의식을 뛰어넘었기 때문이다.

2021년 도구화의 문제는 돈이다. 돈의 힘이 막강해지면서 돈은 삶의 목표이자 의미가 되었다. 자연히 잘 사는 삶이 아니라 돈을 버는 삶이 핵심이 되었다. 그 결과 삶이 돈을 끌고 가는 것이 아니라 돈이 삶을 끌고 가는 생활방식이 보편화되었다. 돈이 없다면 어떤 삶도 조롱과 멸시를 모면하기 어렵다. 삶에는 우정도 있고, 염치와 성실도 있다. 친절과 배려와 양보도 있다. 용기도 있고, 도전도 있다. 돈은 이것들과 어우러져 있어야 한다. 그래야 삶이 비루하지 않고, 허망하지 않다.

성적 도구화 문제도 있다. 사랑과 우정이 저류에 흐르지 않는 한 그것은 폭력일 수밖에 없다. 다른 도구화의 문제도 있을 것이다. 중요한 것은 도구화에 대한 감수성이다. 도구화되지 않기 위해서도 그렇고, 도구화하지 않기 위해서도 그렇다. 도구화에 대한 감수성은 이병주 문학의 강력한 현재성이다.

關釜連絡船
II
李炳注作
新丘文化社

운명을 얘기해야 할 차례다. 이병주 문학에는 운명이란 단어가 유독 많이 나온다. '운명은 이에 순응하는 사람은 태우고 가고 이에 거역하는 사람은 끌고 간다'는 세네카의 말도 자주 인용하고 있다.

『관부연락선』의 마지막 문장도 '운명⋯⋯ 그 이름 아래에서만이 사람은 죽을 수 있는 것이다.'로 끝을 맺는다. 그 외에도 '운명은 이곳저곳에 함정을 파 놓기도 하지만 오묘한 인연의 줄을 엮어 놓기도 하는 것이다.'『별이 차가운 밤이면』중에서 등 곳곳에서 운명을 이야기하고 있다.

悲 愴
李炳注 長篇小說
文藝出版社

‘운명애運命愛엔 방법과 의지가 있어야 한다. 방법이 뭣이냐. 친화親和의 화和를 관철하는 방법이다. 화를 관철한 인생은 성공된 인생이다.’『비창』중에서 또 『비창』 작가의 말에서 ‘나는 이 소설에선 특히 운명을 감당하여 사람으로서의 품위를 잃지 않을 의지를 강조하고 싶었다.’고 적고 있다.

이병주 문학의 운명을 나는, 삶의 실상과 인간에 대한 이해 그리고 삶을 잘 감당하기로 읽었다. 이병주 작가는 야만의 시대를 살았다. 야만의 직접적인 피해자가 되기도 했지만, 전체적으로 거침이 없어 보이는 삶이다. 그 거침없음은 자기확신의 표현이 아니었을까. 유치한 자기확신이 아니라 삶의 목표로서의 자기확신! 사람은 자기확신을 성취한 연후에야 고독으로 스스로 들어갈 수 있고, 거침이 없어지고, 유연해지는 법이다.

도구화에 분노했고, 삶의 실상을 이야기했던 사람, 인간에 대한 이해가 깊었고, 운명을 거침없이 감당했던 한 사람을 생각한다. 그리고 통찰과 급소에 해당하는 그의 명문장을 생각한다.

'네가 너를 알리라. 너가 네 원수라는 것을!'『별이 차가운 밤이면』 중에서

'이 누렇게 나락이 익어 있는 들 사이로 은빛으로 반짝이며 강이 흐르고 있었고, 멀리 갈수록 추상적인 담청색으로 되면서 산과 산은 파도를 이루고 있었다. 아아, 이 산하! 이 땅에 생을 받은 사람이면 좋거나 나쁘거나, 잘났거나 못났거나 모두 이 산하로 화化하는 것이다. 이미 이종문은 산하로 되어버렸다. 살아 있는 사람은 일단 산을 내려가야 하는 것이다. 시심詩心관 먼 곳에 있는 이동식의 가슴에 시를 닮은 구절이 고였다.

-태양에 바래지면 역사가 되고 월광에 물들면 신화가 된다 -『산하』중에서

5부 만족에 이르다

벤 마음을 채우다

삶의 기본값을 생각한다. 고통 속의 즐거움과 즐거움 속의 고통. 독일 철학자 아도르노는 '나쁜 삶 속에 좋은 삶은 없다'고 했다.

이성복 시인은 '모두 병들었지만 아무도 아프지 않았다'고 했다. '모두 행복하지만 아무도 만족하지 않았다'라는 말도 성립한다. 행복경제학에서는 행복은 짧은 순간의 감정인 반면 만족은 전체 삶에 대한 인식으로 정의한다

생각만이 드는
70살인 저는 젊은 시절, 알지 못하는
고, 갈망하고, 노력했지만 결국
과하다는 사실에 외로워할 겁니다.
자부심 하나만은 양보하지 않을 겁니다.
에 40대가 있다는 사실을 발견할 겁니다.
가, 무엇을 할 것인가를 고민했던 감감한
대의 삶은 깊어져 갔다고 자부할 겁니다.
저는 되뇔 겁니다. 나의 40대는 화려했다고.

"우리는 되돌아보지 않는다. 직선으로 흘러갈 뿐이다. 나이가 들수록 더 하다. 특별히 새로운 것은 없다. 깜짝 놀랄 일도 없다. 무서울 것 역시 딱히 없다. 흘러가는 시간 옆에서 그저 멍청해져 가고 있을 뿐이다. 그러나 이런 삶에도 바람과 파도 즉, 풍파를 일으키는 일이 있다.

어느 봄날, 야외에서 술 마시며 충만감과 기쁨이 밀려오는, 그야말로 완벽한 봄날, 나는 분위기에 젖어 있었다. 동료이자 동생들은 냅킨을 이어 끈을 만들었다. 그것으로 얼굴 크기를 재고 있었다. 내심 자신 있었다. 강적이 한 명 있었기 때문이다. 믿을 구석이 있다는 게 얼마나 큰 위안이 되는지…. 불행은 더 큰 불행으로부터 위안을 얻는다. 비록 위선적이라 해도 삶에서는 위로가 필요한 법이다. 내 차례가 되었다. 머리를 내밀었다. 몇 년에 걸친 머리 크기 논쟁이 드디어 결론을 향해 내달리고 있었다.

머리 크기에 대해 우리 세대는 억울한 면이 많다. 학창시절 공부 잘하는 친구들은 대체로 머리가 컸다. 당연히 머리가 크면 머리가 좋은 것으로 인식했다. 머리를 키우기 위해 정신을 집중해 피를 머리 위로 끌어올리고, 그 힘으로 두개골 밀기를 반복했다. 물론 효과가 있었다. 나는 남부럽지 않은 머리 크기를 가질 수 있었다. 큰 머리와 더불어 튀어나온 배와 짧고 굵은 다리를 모두 장착함으로써

나는 균형 잡힌 몸매를 완성했다. 그렇게 나는 세상으로 나왔다.

그런데 시간과 함께 사람들은 변절했다. 특히 김태희가 나오면서 머리 크기와 머리 좋은 것은 결정적으로 상관이 없어졌다. 큰 머리는 부자연스럽고, 추한 것을 넘어 죄로 치부되기에 이르렀다. 이제 누가 가장 큰 죄를 지었는지 판가름이 날 순간이었다. 머리를 내밀고 눈을 감았다. 그럴 리는 없지만 내 사이즈가 가장 크게 나오는 만일의 사태에 대한 마음 정리도 필요한 터였다. 긴장이 밀려왔다. 살며시 침을 삼켰다. 머리 작은 동료들은 느긋하고 흐뭇하게 이 상황을 만끽하고 있었다.

휴지가 머리를 돌고 있을 때였다. 휴대폰에 토끼의 밝은 얼굴이 나타났다. 깜짝 놀랐다. 이 순간은, '힘들이지 않고 자동으로 빠르게 작동하는 시스템 1이 노력이 필요한 정신 활동에 관심을 할당하는 시스템 2로 주도권을 넘겨주는 순간이다.' 『생각에 관한 생각』중에서 또한 우리 안의 보는 자와 보이는 자의 통합이 깨어지는 순간이기도 하다.

반쯤 감긴 휴지를 풀었다. 다행이고 불행이었다. 대두의 왕으로 등극할 수도 있는 위험에서 일단 벗어난 것이 다행이고, 이 시간대의 토끼 전화는 불만 아니면 요구사항

이므로 그것은 불행이었다. 나는 조용히 휴대폰을 집어 들고 밖으로 나갔다.

"이따 얘기 좀 해요."

그 순간 삶은 즐거움과 평온으로부터 멀어졌다. 술좌석의 충만감은 빵빵한 과자 포장처럼 흔적 없이 사라졌다. 그렇게 탐닉하던 술은 쓰고, 안주는 눅눅하게 느껴졌다. 머리 크기 따위는 중요하지도, 재미도 없었다. 검색이 시작됐다.

가까운 과거로부터 먼 과거로 다시 가까운 과거로 시간은 쉼 없이 옮아갔다. 뭔가 꼬투리가 있는 것 같기도 하고, 아닌 것 같기도 하고, 혹 그것일까 했다가도 설마 그런 것 가지고 그럴까 싶고…. 생각은 지치도록 이어졌다. 머리가 어지러워지고, 얼굴이 붉어져 왔다. 초인적인 힘을 발휘해 생각을 좀 더 밀고 나갔다. 가장 골치 아픈 상황을 가정해 보았다.

"뭘 잘못했는지 말해 보세요!"

거기까지 가면 참으로 난감하지 않을 수 없다. 그러나 설마….

에너지는 고갈 상태에 이르렀다. 빨리 술좌석의 혼돈 속으로 들어가고 싶었다. 결론을 도출해야 했다. 옳든 그르든 그건 중요한 게 아니었다.

결론 : 자기성찰이란 '이따 얘기 좀 하자'와 '뭘 잘못했는지 스스로 말하는 것'" 『토끼와 빨래』 '자기성찰'

고통 속의 즐거움이었다. 삶의 배경은 밤이었다. 밤이 깔린 삶에 간혹 빛을 내는 순간을『토끼와 빨래』라는 책으로 엮었다. 즐거움은 온전하지 않았다. 불행감은 늘 간섭해 그늘을 만들었다. 삶의 배경인 고통은 수많은 물줄기의 근원인 호수였다. 창피하고 한심했다. 어디 내놔도 부끄러웠다. 주눅이 들었다. 생계라 다독이고 다들 이렇게 산다고 무마하고 무시했다. 한눈팔기도 했다. 배드민턴을 치고 이책 저책 기웃거렸다. 체념에도 노력이 필요한 법이다. 고통이라는 큰 도화지 위에 즐거움이라는 작은 점이 간간이 박해 있는 삶.

"표지디자인은 뒷목잡기고, 교정과 교열은 우리한 어깨통증이다. 인쇄 일정은 헝클어진다. 책이 소화되는 구조 만들기는 낯이 뜨겁다. 이곳저곳, 이사람 저사람을 만나고 머리를 조아리고 부탁을 한다. 부탁은 삶을 갉아먹는다. 땀이 흐른다. 그래서 부탁에는 불순물을 얹어야 한다. 동정을 부탁에 얹고, 상교相交도 얹는다. 의무감과 자부심을 얹기도 한다. 때로 명령을 얹는다." 2018년8월 함향 이후 즐거움 속의 고통이다. 책을 만들고 책을 파는 일은 고통이다. 그러나 한 걸음 위로 올라가면 그것은 즐거움이다. 책은 리利와 의義가 결합된 물건이다. 그래서 '열심'은 '하는 것'이 아니라 '해지는 것'이고, '겸손'도 '하는 것'이 아니라 '해지는 것'이며, '만족'도 '하는 것'이 아니라 '해지는 것'이다.

사람이 상황을 만들고 상황이 사람을 만든다. 사람과 상황은 상호작용한다. 문제는 더 좋은 사람이 되는 것이고, 더 나은 상황을 만드는 것이다. 좀 더 나아가, 초심과 상황 중 하나를 택해야 한다면 초심보다는 상황이다. 상황을 장악해야 한다. 상황을 장악하지 못하면 문제가 생기고, 문제가 커지고, 문제가 최악으로 치닫는다. 좋은 상황이건 나쁜 상황이건 상황을 장악해야 원활하다.

그리고 돈에 둔감해야 한다. 돈은 힘이 세다. 그래서 돈에 민감하면 다른 것들을 보지 못한다. 어떤 가치 있는 사람과 일이든 돈이 없으면 멸시와 무시를 면치 못한다. 돈은 삶의 부분이다. 돈에 둔감해야 삶이 온전해진다.

새들반점
정훈

『새들반점』이라는 좋은 시집을 만드는 중에 시인협회의 권두칼럼 원고청탁을 받았다. 그 연결의 묘함에 미소 지었다.

늦은 밤, 주차 후 집으로 올라간다. 달을 본다. 아름다운 초승달이다. 그 날카로운 곡선에 마음이 벤다. 서럽다. 욕망 때문에 외롭기도 하다. 그러면서도 즐거움 안의 고통이라는 사실에 안도한다. 수많은 사람들의 셀 수도 없는 도움을 생각한다. 그리고 해야 할 일을 떠올리고, 잘 할 수 있을 것만 같은 자신감으로 벤 마음을 채운다.

좋은 삶 속에 나쁜 삶은 없다. 시인은 위대하다.

호젓하고 고요하게 걷다

'잘 사는 것'에 대한 질문과 요구를 해야 한다. 질문과 요구는 헛된 것일 수 없다. 잘 사는 것은 거칠고 개별적이지만, 돈과 감동이다. 돈은, 궁핍이 무용감과 우울로 나아가지 않는 수준 이상 되어야 한다. 감동은 근원에 닿아있고, 깊은 것을 경험하는 희열이다. 잘 사는 것에 관한 한 감동은 돈에 못지않다. 감동이 간간이 박혀 있어야 삶은 잘 견뎌진다.

좋은 글을 만난 밤 호젓하고 고요하게 걷는다. 이런 밤이면 굴욕과 상처와 가난과 걱정과 설렘과 계획과 귀찮은 일들과 현실적인 것들은 끼어들거나 표면으로 올라올 여지가 없다. 개의치 않는 기쁨을 오롯이 향유하는 것은 좋은 협력만큼이나 드물고도 반가운 일이다.

시간은 욕망과 결합되어 있다. 오후 4시는 술과 친구와 우정이다. 혼자 밤을 맞아야 한다는 예정된 외로움은 사무실을 뿌옇게 덮쳤다. 최근 통화와 카톡을 훑었다. 머리 한쪽에서는 오늘 읽을 책과 써야 할 글들에 대한 괴로움과 즐거움이 있었다. 통화 버튼 누르기와 혼자 버티기 사이의 갈등은 10분 이상 지속 되었다. 통화 버튼은 왠지 모를 굴욕이라는 생각이 쑥 밀고 들어왔다.

책 읽기로 들어갔다. 마이클 온다치의 『잉글리시 페이션트』316~372쪽 '헤엄치는 사람들의 동굴'. 아름다움의 향연. 영국인 환자 알마시는 자신의 이야기를 시작한다.

- 한 인간이 어떻게 사랑에 빠지게 되는지 이야기해주겠다고 약속했었지요.
- 나는 책에 등장하는 냉소적인 악인과 자기 자신을 동일시하는 인생의 시기에 도달했지요.
- 하지만 인생에서의 길은 갑자기 드러나는 겁니다.
- 후에 우리가 서로의 욕망을 인식했을 때 이전의 순간들이 이제는 암시적 의미를 띠며 심장 속으로 도로 밀려

들어왔지요.

- 그녀는 언제나 말을 원했습니다. 말을 사랑했고, 말을 먹고 자라났지요. 말을 통해 그녀는 명징함을 얻었고, 이성과 형태를 가질 수 있었지요. 반면 나는 말은 물속에 박힌 막대기처럼 감정의 흐름을 바꾼다고 생각했습니다.
- 우리 사이의 애정은 말로 하지 못한 채 그렇게 남겨졌죠.
- 그는 세계를 쓰고 해석하는 남자였어요. 지혜는 감정을 최소한으로 전달받는 데서 생겨납니다.
- 방의 맨 구석에서 그녀 위로 누운 알마시는 몸을 천천히 일으키려 하며 자신의 금발을 빗어 넘기고 무릎을 꿇고 일어났습니다. 그도 한때는 섬세한 남자였으니까요.
- 나는 이런 일들을 믿어요. 우리가 누군가를 만나 사랑에 빠질 때면 우리의 영혼에는 역사인 부분, 약간 현학적인 부분이 있어서 서로를 모르고 지나쳤던 만남이 있었음을 상상하거나 기억하지요.
- 하지만 몸의 모든 부분은 이미 다른 사람을 위해 대비를 하고 있는 게 분명합니다.
- 우리는 공동의 역사, 공동의 책입니다.

마이클 온다치는 1943년 스리랑카에서 태어났다. 1954년 캐나다로 이주했다. 『잉글리쉬 페이션트』는 1991년에 발표되었고, 다음 해인 1992년 맨부커상을 받았다. 1996년에 영화로 제작되어 69회 아카데미 시상식 9개 부문 수상, 47회 베를린 영화제 여우주연상 수상, 골든글로브 2개 부문 수상, 영국 아카데미 4개 부문을 수상했다. 소설과 영화 두 영역에서 탁월한 성과를 거두었다.

‘헤엄치는 사람들의 동굴’는 56쪽 분량이다. 회상문학에는 그 근원에 아름다운 슬픔이 내재되어있다. 소리 내어 천천히 읽었다. 감당하고픈 희열 때문이었을 것이다. 쑥 들어오는 문장 앞에서는 멈추었다. 서성이고, 물을 마시고, 커피를 마셨다. 목이 아프면 쉬었고 자세가 불편하면 고쳐 앉았다.

드디어 10시가 되었고, 읽기를 마쳤다. 줄 친 문장들을 타이핑하기 시작했다. 아름다움 위에 확신이 쌓였다. 삶의 기준과 목표로서의 자기확신. 고통과 자책으로 점철돼 있을지라도 끈질기게 삶을 밀고나가게 하는 그것, 자기확신! 타이핑은 끝이 났다. 도로는 캄캄하고 차 안은 조용했다. 오롯이 존재하는 자부심은 부풀어 올랐다. 주차를 했다. 보름달은 빈 곳 없는 만족을 누리고 있었고, 꽃은 밝았다. 바람은 바쁘지 않았다. 나는 호젓하고 고요하게 걸었다. 감동이 떨어질 수도 있기에.

돈에 대한 의식적인 둔감과 감동에 대한 의식적인 민감을 주장하다

돈에 둔감해야 삶이 온전해진다. 돈은 힘이 세다. 옛날부터 그랬다. 사마천은 『사기』 '화식열전'에서 "대체로 호적에 올린 보통 백성은 부유함을 비교하여 자기보다 열 배 많으면 몸을 낮추고, 백 배 많으면 두려워하며, 천 배 많으면 그의 일을 해 주고, 만 배 많으면 그 하인이 되니, 이것이 사물의 이치이다.凡編戶之民, 富相什則卑下之, 伯則畏憚之, 千則役, 萬則仆, 物之理也"고 했다. 또 "천금을 가진 부자집 아들은 저잣거리에서 죽지 않는다千金之子 不死於市"고 했다.

돈은 힘이 세다. 자살의 70%는 돈으로 인한 우울증이다. "2020년 한국의 자살 사망자 수는 총 1만 3천 195명으로 하루 평균 36.1명, 한 시간에 1.5명이 스스로 목숨을 끊는 방식으로 생을 마감했다."연합뉴스,2021.09.28.

돈은 힘이 세다. 우리나라는 10만 명 당 사기 건수에 있어 세계 1등이다. "2017년 23만 1489건, 2018년 27만 29건, 2019년 30만 4472건, 2020년 34만 7675건으로 매년 증가했다. 전체 범죄에서 사기가 차지하는 비중도 늘었다. 전체 범죄 중 사기 범죄 비율은 2017년 13.9%에서 2020년 21.9%로 올랐다."파이낸셜뉴스,2021.11.29.

돈은 힘이 세다. 대부분의 논의는 "돈 있나?" "돈 되나?"에서 멈추기 십상이다. 그리곤 모두 눈을 마주치지 않은 채 한숨을 쉬며 답답함을 곱씹는다. 돈은 소비·안락·존경·권력이다. 돈으로 못할 짓은 없다. 부당을 넘고 불법도 뛰어넘는다. 시간을 사기도 한다. 과거를 세탁하고 미래를 예약한다. 돈은 우리 삶에 너무 깊이, 너무 전면화 되었다.

돈은 힘이 세다. 김언수 작가의 『뜨거운 피』에는 "이 바다를 움직이는 주요한 동력은 열정이나 꿈이 아니라 빚이었다. 그래서 모두들 무엇 때문에 살아가는 게 아니라 빚에 쫓겨서 허겁지겁 살아간다. … 이상하게 기쁘지도 슬프지도 않다. 빛이 없는 삶은 나한테 어색하다."는 문장이 있다. 그리고 작가의 말에서 '당신은 이 사내가 보기 좋은가. 이 삶이 보기 좋은가'라는 질문을 던진다.

돈은 힘이 세다. 그래서 돈에 민감하면 '다른 것'들을 보지 못한다. 그 '다른 것'들에 삶의 즐거움이 고스란히 들어 있는데도 말이다. 삶의 즐거움 중 최고는 감동이다. 첫 문장 '돈에 둔감해야 삶이 온전해진다'의 의미는, 삶에는 돈뿐만 아니라 감동도 있다는 뜻이다. 감동의 순간은 현재를 벗어나 깊숙이 묻혀있는 '자기'와 접촉하는 시간이다.

돈에 둔감해야 시가 보인다. 새벽녘 울컥하고, 방안을 서성인다. 설렘이 몰아친다. 말하고 싶은 욕구는 눌러지지 않는다. 곤히 자는 처를 깨워 짜증과 분노를 부르기도 한다. 낮에는 전화를 건다. 자랑한다. 자랑 없는 삶이 얼마나 지겹고 진부한 것인지…. 상대를 감동 속으로 끌어오기 위해 말을 쏟아낸다. 형편없는 표현력을 한탄하고 글로 옮기지 못하는 무능을 원망한다.

나는 살아있는가

100

나는, 그래 살아있겠지. 그래서 내일도 술을 먹겠지. 술을 먹고 어슬렁거리며 광복동 거리를 방황하겠지. 어느 호젓한 다방엘 들어가서 보따리를 풀고서는 공부를 하는 척, 글을 쓰는 시늉을 하겠지.

살아있다는 건 뭔가. 대체 살아있다는 말 그게 대체 무슨 말인가. 나는 왜 살아있느냐며 자문하는가. 대청로 '계림'에서 집까지 오는 동안 나는 얼마나 많은, 바닥에 남긴 사연을 곱씹었는가. 87년의 거리, 아니 그 무수한 거리의 기억들, 그리고, 아 그리고, 팡파르를 울리며 지나가는 전차행렬들에 달라붙은 시민들은 왜들 또 그렇게 슬픈 얼굴들을 가렸을까.

그러나 나, 이제 살아있는가.
늘 보곤 하는 새들과 마당들과, 도로, 절뚝거리는 다리를 끌며 행상을 하는 사람들, 곰똘히 운신 챙기려 열중하는 듯한 식자들, 저기 담벼락에 달라붙은 꺽다리 담쟁이며, 부웅 소리 내며 떠나가는 그리움들을 짐짓 모른 척 한 채로,
나는 살아있는가, 아직도 살아있는가.

101

『새들반점』의 그 쓸쓸한 그리움 그 쓸쓸한 고백 그 진실의 창조. 백석이 자야라 칭한 연인이자 '나와 나타샤와 흰 당나귀'의 수신자 김영한은 대원각을 법정스님에게 희사하면서 "그까짓 1000억 원은 백석의 시 한 줄만 못하다"고 했다. 『새들반점』의 시 한 구절에서 나는 세상을 모두 가졌다.

아흔도 거뜬히 넘긴 듯한 노파가 반쯤 접힌 몸을 지팡이에 의지한 채 들어와서는 짜장면을 시킨다
새들처럼 지아비 날려 보내고 자식들마저 둥지를 떠났겠지
숙취에 겨워 종일 누워 있다 허기를 달래러 찾아 든 새들반점. 나는 중력에 못이겨 시름하며 가까스로 짬뽕을 넘기지만
노파. 마치 세상을 굽어보듯 팔꿈치 가지런히 올리고선 끼니를 건져 올리신다
노파와 나는 똑같은 의식을 벌이지만 대체 왜 내 몸은 가라앉고 노파는 홀가분해지는 것만 같으냐
새들처럼 날아가지도 못하면서 어찌 나는 기어이 숨어들려고만 하는가

19

새들반점

오래된
정원 상
황석영 장편소설
창작과비평사

황석영『오래된 정원』"당신은 그 안에서 나는 이쪽 바깥에서 한 세상을 보냈어요. 힘든 적도 많았지만 우리 이 모든 나날들과 화해해요. 잘 가요, 여보." 이 세 문장에 마음이 파였다.

돈에 둔감해야 '만난다.' 性성은 마음心이 생기는生 것이다. 마음은 만남에서 생긴다. 사는 것은 만나는 것이다. 만남에서 삶의 원천인 우정이 솟아난다. 우정은 사람이 사람에게 주는 감동이다. 서로를 따뜻하게 보듬고, 깨우쳐주고, 키워준다. 의지하고 의지가 되어준다. 신영복 교수는『담론』에서 존재에서 관계로 나아가길 역설했다.

감동 전과 후는 다르다. 감동은 가장 먼저 자신에게로 향한다. 감동한 자신에게 감동한다. 용서하고 너그러워진다. 그리고 하찮아진다. 세계적인 대문호 이병주는『지리산』에서 "악착같이 세속의 일에 골몰해 있다가도 무한대의 우주를 생각하고 이십억 광년二十億光年쯤을 관념해 내면 세상만사가 시들해진다. 인생을 살아가는 덴 가끔 세상만사를 시들하게 생각해야 할 필요도 있는 것이다. 친구끼리 비위가 상했더라도 아득한 천체 속에 미립자微粒子로서 살면서 그만한 일에 신경을 써서 무엇하나 싶으면

단번에 화해할 기분이 생겨날테니 말이다."고 했다.

감동은 삶의 수많은 굴욕과 수치를 즐거움 속의 고통으로 여기게 한다. 때로 상황에 용기 있게 맞서게도 한다. 삶에 주눅 들지 않게 하고 실천하게 한다. 자신을 비하하지 않게 하고 원망과 분노를 녹인다. 감동은 삶을 힘 있게, 호방하게 밀고 나가게 한다. 그렇게 감동은 더 나은 사람이 되게 한다.

돈이라는 벽 앞에 서 있다. 그러나 잘 사는 것은 돈과 함께 감동도 삶에 있어야 한다. 돈에 대한 '의식적인 둔감'과 '감동에 대한 의식적인 민감.' 돈으로 내달리는 생각을 조금만 물러 세우면 삶이 풍성하게 열린다.

삶의 한때를 짙게 채웠던 벨 에포크를 추억하다

불만과 불안은 충돌한다. '이렇게 살아도 될까?'라는 의문은 불만으로 자리를 잡는다. '가난해지는 것이 아닐까?'라는 의문은 불안으로 자리를 잡는다. 불만이 크지만 불안하기에 현실에 묶인다.

행복경제학에서, 행복은 짧은 순간의 감정이다. 맛있는 음식을 먹을 때나 좋은 경치를 접했을 때, 그리운 사람을 만났을 때, 기다리던 택배가 왔을 때와 같이 짧은 시간 동안 느끼는 감정이다. 반면 만족은 전체 삶에 대한 인식이다. 그러기에 '누구나 행복하지만 아무도 만족하지 않는다'라는 문장이 성립하는 것이다. 문제는 행복이 아니라 만족이다. 전체 삶에 대한 만족이 낮기에 투자는 보편적인 것이 되었다.

집 떠난 20살 아들놈과 오랜만에 마주 앉았다. 부탁을 부탁 조가 아닌 말투로 말했다.

"돈 좀 줄 수 있나?"
"와?"
"비트코인 했다가 벼락거지 됐다."
"얼마 했노?"
"10만 원 넣었다가 몇만 원 빼묵고 지금은 엄청 빠짓다."
"너그 친구들 많이 하나?"
"어."
"비트코인 말고 주식투자 해보는 거는 어떻노?"
"….."

주식투자는 예측의 영역이다. 결코 대응의 영역이 아니다. 이것이 주식투자 제 1의 원칙이다. 대응의 영역에서 '손절매'라는 개념이 나온다. 명백한 오류다. 손절가 제시는 면피를 위한 안전장치일 뿐이다. 손절개념을 배재한

투자를 구상해야 한다.

규모와 속도는 반비례한다. 규모가 클수록 속도는 느리다. 큰 산의 초입은 경사가 완만하다. 꼭대기에 이르러서야 급해진다. 이와 비슷하게, 멀리 가는 종목은 초기에 느리다. 느리게 가야만 멀리 갈 수 있다. 이런 면에서 주식투자는 노자老子적이다.

기업가치 지표 단위 : 억원, 주, %, 배

IFRS 연결		2019/12	2020/12	2021/12	2022/12	2023/06
Per Share						
EPS	(원)	173	10,885	5,705	6,616	3,502
EBITDAPS	(원)	27,332	35,509	37,534	36,144	20,987
CFPS	(원)	14,033	24,799	20,798	23,124	12,106
SPS	(원)	344,549	321,057	408,707	461,569	223,489
BPS	(원)	79,493	85,617	95,533	105,273	110,924
Dividends						
DPS(보통주,현금)(원)		750	1,200	850	700	
DPS(1우선주,현금)(원)		800	1,250	900	750	
배당성향(현금)(%)		434	11	15	11	
Multiples						
PER		416.75	12.40	24.19	13.07	
PCR		5.14	5.44	6.64	3.74	
PSR		0.21	0.42	0.34	0.19	
PBR		0.91	1.58	1.44	0.82	1.14
EV/Sales		0.33	0.52	0.42	0.29	
EV/EBITDA		4.20	4.68	4.60	3.67	

LG전자

주당순이익EPS보다 주당순자산BPS이 중하다. 주당순이익은 단기적 개념인 반면 주당순자산은 장기적 개념이다. BPS에서 적정주가가 도출된다. 적정주가는 BPS×2이다.

BPS가 100,000원이라면 적정주가는 200,000원이 된다. 적정주가는 왜 BPS의 두 배인가? 기업의 가치는 유형자산+무형자산이기 때문이다.

시장의 속도에 마음의 속도를 맞추어야 한다. 마음의 속도만큼 주식은 움직이지 않는다. 주식투자에서 기준은 마음이 아니라 주식시장이다. 마음을 주식시장에 맞추어야 한다. 이것은 어쩌면 수행의 과정이라 할 수 있다. 모나고, 오만한 마음이 닳고 닳는 과정. 주식투자는 인내하고, 자기를 끊임없이 다독여야 하는 마음 수련이다.

시장을 종목으로 압축해야 한다. 삶의 기대는 분산해야 하지만 투자는 집중해야 한다. 포토폴리오 이론은 시장을 압축할 능력이 없거나 자금의 규모가 클 경우 적용 가능한 이론이다. 시장은 흔적을 남긴다. 시장에 하락압력이 작용하고 있을 경우, 힘없는 종목이 먼저 반응하여 하락한다. 반대로 상승압력이 존재할 경우, 힘 있는 종목이 먼저 튀어 오른다. 보수적 투자이어야 한다. 보수적 투자가 결국 더 높은 수익을 가져다준다. 내 몫의 수익이 있다. 내 몫의 수익을 잘 챙기는 것만으로도 충분하다. 복잡함은 단순함을 이기지 못한다. 주가는 매출과 영업이익이 급증하는 시기에 급등한다. '진실은 복잡함이나 사물의 혼돈이 아니라 단순함에서 발견된다.' Isaac Newton

배제의 원리를 적용해야 한다. 대시세를 낸 지 10년 이상 지나지 않은 종목은 배제해야 한다. 대시세라 함은 최소 10배 이상 상승한 종목을 말한다. 소형주는 배제해야 한다. 신뢰할 수 없기 때문이다. BPS가 하락하거나 정체된 종목도 배제해야 한다. 생각이 명확히 정리되지 않는 종목은 배제해야 한다.

"얼마면 되겄노?"
"음···, 10만 원 정도···"
"살면서 최선을 다하면 안 되지만 최선을 함 다해보자. 돈 벌면 소주 한잔 사고"
"···."

이리하여 아들놈에게 10만 원이 넘어갔다. 그리고 나는, 불만과 불안 그리하여 투자의 시대, 삶의 한때를 짙게 채웠던 동료들과의 벨 에포크를 추억하는 것이었다.

고독과 그리움 속으로 들어가다

우리는 짐작으로 미래와 연결되어 있다. 그래서 미래는 그리움일 수 있다. 택배는 우리 시대의 반가움이다. 포장 상자는 때가 묻고 찌그러져 있었다. 테이프는 무질서하고도 성실하게 감겨 있었다. 칼날을 빼죽이 내어 테이프를 갈랐다. 7권의 책이 올망졸망했다. 표지는 희읍스름했다. 속지는 늦가을 수분이 빠진 은행잎처럼 노랗게 바래있었다. 재판14쇄 발행일 1989년 3월 10일. 이병주 작가의 『지리산』이었다.

李炳注
實錄大河小說
잃어버린 季節
智異山
1
기린원
500만원 고료독서감상문공모
KBS 기린원

소설로 들어간 후 이상한 일들이 연속으로 발생했다. 이상한 일들의 목록은 다음과 같다. 일들을 미루었다. 오늘 할 일을 내일 했다. 책상에 앉기를 서둘렀다. 생활의 잡다한 루틴, 가령 뉴스보기와 검색 등을 생략했다. 일찍 출근하고, 늦게 퇴근했다. 주말에도 일을 핑계로 사무실에 나갔다. 버스보다는 지하철을 타게 되었다. 지하철의 진동과 소음은 최적의 독서 장소이기 때문이다. 유튜브에 붙잡히지 않았다. 약속이 즐거웠다. 약속장소로 출발하기 전 1~2 시간은 최고의 집중력이 발휘되는 시간이기 때문이다. 야식을 든든히 먹었다. 잠 잘 시간까지 소화시킬 자신이 있었기 때문이다. 그리고 인공눈물의 소비가 많아졌다. "재미있는 이야기는 시간을 잊게"『지리산』5권267p 하기 때문일 것이다.

1963년 교도소 출소 때
어머니 김수조여사와 함께

〈국제신보〉 주필 겸 편집국장 시절

이 병 주
1921-1992

이병주 작가는 1921년에 태어나 1992년 사망했다. 그가 산 시대는 통째로 야만이었다. 우리나라에는 국권침탈과 해방, 좌우 대립, 이승만 독재, 한국전쟁, 4·19혁명, 5·16쿠데타, 박정희 독재, 광주민주화운동, 전두환 독재, 6월 민주항쟁 등의 사건이 있었다. 세계적으로는 대공황과 스페인내전, 중일전쟁, 제2차 세계대전, 냉전, 소련 붕괴 등의 사건이 있었다. 그 야만의 시대가 천재적인 소설가와 만나 방대한 이야기로 남았다. 『지리산』1권의 작품 해설에 해당하는 글 속에 이런 표현이 있다. "國家不幸詩人幸국가불행시인행이란 옛 중국의 시에도 있듯 이러한 불행한 시대의 넓고 깊은 체험이 작품을 위해서는 오히려 다행한 일인지도 모르겠다." 이병주 작가의 삶에는 여러 삶이 있다. 그의 삶은 화려하다.

그는 이념의 시대에 이념이 아니라 삶을 이야기했다. "역사의 그물로써 파악하지 못한 민족의 슬픔을 의미로 모색하는 방향으로 슬퍼해 보는 데 있다고 믿는 사람이다."월간 「세대」지에 『지리산』 연재를 시작하면서 쓴 글 이념의 도구가 된 허망한 삶과 이념으로 포장한 사람들의 도구가 되는 가련한 삶을 "기록자이자 문학인 것을 혹은 문학이자 기록"으로써 썼다. 그는 시대를 앞서 있었다. 그것이 지금 우리 시대와 호응하는 것이다.

이제 우리와 우리의 시간을 이야기해야 한다. 고립의 시간이다. 정확하게는 고립을 각자 견디는 시간이다. 심심해서 괴롭다. 못 만나서 그립다. 놀지 못해서 불만이다. 혹시나 해서 두렵다. 불안하다. 그리고 우울하다. 시간을 정면으로 맞고 있는 셈이다.

시간에도 소유 관계가 있다. 자기 시간일 때는 덜 힘들고 덜 고단하고 불만이 덜 쌓인다. 그러나 타인의 시간일 때는 고달프고 불만스럽고 견디기가 힘들다.

약속 시간이 지난 후 문을 응시하고 있는 자신을 알아차리는 것이 어찌 짜증이 아닐 수 있는가. 그러나 시선을 해야 할 일 혹은 읽던 책으로 돌리면 그 시간은 괜찮은 것이 된다. 경우에 따라서는 창조의 시간이 되기도 있다. 시간을 자기편으로 만드는 '우회'의 기술 혹은 지혜.

'우회하기'는 때론 거대한 사건과 만나기도 한다. 대항해시대의 개막은 오스만제국의 지중해 무역 장악으로 인한 포르투갈과 스페인의 우회하기였다. BTS도 우회한 결과 상상에도 없던 길을 만들어냈다. 『데카메론』도 우회하기였다.

고립의 시간, 이병주 읽기는 의미와 가치를 모두 가진 우회하기다. 이병주 소설은 잘 읽힌다. 길을 잃을 염려가 없다. 진입장벽도 낮다. 회의가 들지 않는다. 이야기성이 강하고 잘 짜여 있다. 묘사와 흐름과 통찰이 절묘하다. 무엇보다도 재밌다. 마침 2021년은 이병주 작가의 탄생 100주년이다. 꽤 오랜 시간 이병주를 읽을 것 같은 짐작이다. 시대를 앞선 작가, 이념이 아니라 "역사의 그물로써 파악하지 못한" 삶을 그린 작가. 각자 견뎌야 하는 시간 이병주 읽기의 고독과 그리움 속으로 들어가는 것은 어떨는지.

고통의 보편화 즐거움의 개별화 그리고 잘 사는 것을 고민하다

잘 사는 것은 기대의 분산이다. 기대와 욕망은 가깝다. 기대 혹은 욕망을 억제하라는 말은 말이 안 되는 말이다. 기대와 욕망은 인간인 한 어쩔 수 없는 것이다. 문제는 욕망을 한 곳에 집중하는 것이다. 기대와 욕망의 집중이야말로 세상과 자기 원망의 원천이다.

잘 사는 것은 스스로 말미암음자유·스스로 존재함자재·스스로 즐김자적이다. 자기가 원인이고 과정이고 결과다.

잘 사는 것은 몸과 감정의 기본값을 인지하고 있는 것이다. 몸의 기본값을 알고 있어야 비정상을 감지하고 대처할 수 있다. 감정의 기본값도 인지해야 한다. 감정은 자체운동을 한다. 감정의 변화를 꿰뚫어 봐야 한다. 이상 상태가 감지되었다면 시간을 신뢰해야 한다.

잘 사는 것은 자기확신이다. 자기확신은 삶의 목표가 되어야 한다. 자기확신이 견고하면 삶이 편하다. 시기·부끄러움·이기심·비굴·옹졸·편협·몰염치·우울이 옅어진다. 반면 용기·너그러움·지혜·도전·인내·유머·쾌활은 짙어진다. 자기확신으로 인해 자유롭고 자재하고 자적한다. 더 유연해지고 더 친절하고 더 나은 사람이 된다.

잘 사는 것은 우회하기다. 가지 않은 길에 대한 아쉬움만큼이나 막힌 길에 대한 자책이 크다. 귀찮고 짜증나고 지치지만 우회하면 다른 세상과 다른 사람, 다른 관계, 다른 가능성을 만난다.

잘 사는 것은 좋은 사건이다. 사람은 사건의 총합이다. 좋은 사건은 좋은 곳에, 나쁜 사건은 나쁜 곳에 도달하기 십상이다. 좋은 사건에서 좋은 사람과의 관계가 형성되고 그 관계는 사건을 나아가게 한다. 좋은 사건은 그 안에 호혜주의가 관통하고 있어야 한다.

잘 사는 것은 호혜주의다. 호혜주의는 묵자의 상교相交다. 자신과 상대 모두에게 이익이 되어야 한다. 자신에게 이익이 되나 상대에게는 무익한 일, 자신에게는 무익하나 상대에게 이익이 되는 일은 추진되지 못한다. 공동체에도 이익이 된다면 이상적이다.

잘 사는 것은 돈을 잘 버는 것이다. 지혜는 돈에 집중되어 있다. 돈의 힘은 막강하다. 돈으로 해결하고 돈으로 평가된다. 인격도 돈화化되었다. 돈 벌기에 있어 좋은 매너는 기본이다. 여기에 가능한 지혜를 모두 동원해야 한다. 돈은 뜬 구름과 발밑을 동시에 추구해야 한다. 뜬 구름만 추구하면 공허하고 발밑만 바라보면 좀스럽다.

잘 사는 것은 예술을 향유하고 창조를 결단하는 것이다. 감동 없는 삶은 권태다. 권태는 삶을 갉아먹는다. 예술에는 예술가가 온몸으로 밀고 나간 고통과 희열·통찰이 있다. 감동은 삶을 다시 점검하게 한다. 다른 삶을 상상하게도 한다. 삶에 생기를 불어넣는다. 감동이 창조로 길을 내면 불만에 찬 생의 권태는 자취를 감춘다.

잘 사는 것은 문제해결이다. 삶은 산 넘어 산이다. 건강·분노·걱정·불안·부끄러움…. 문제를 일으키지 않는 습관과 문제를 빨리 해결하는 행동양식, 해결이 안 되는 문제는 내버려두는 태도가 결합되어야 한다.

잘 사는 것은 도구화에 대한 감수성이다. 도구화에 대한 감수성이 없으면 다른 사람의 도구가 되고 다른 사람을 도구로 삼는다. 도구가 된 후에 감당해야 하는 분노와 처량함! 사람을 도구로 삼는 사람에게는 사기꾼의 냄새가 난다. 짧은 순간에 사기꾼을 간파하는 우리 안의 유전자를 믿어야 한다.

잘 사는 것은 의지가 되어주고 의지하는 것이다. 혼자서는 잘 살아지지가 않는다. 우리는 '홀로와 함께'가 공존해야 한다. 우리는 그렇게 만들어진 존재다. 나만큼 우리가 중요하다. 의지가 되어주고 의지하고, 도움을 주고 도움을 받으며, 고독하고 함께 향유해야 삶이 온전하고 원활하다.

잘 사는 것은 자기원망과 자기합리화 중간 어디쯤 있다. 자기원망은 우울로 가고 자기합리화는 몰염치로 간다. 자기를 원망하다가도 합리화하고, 자기를 합리화하다가도 자기를 성찰해야 한다. 자기원망과 자기합리화 그 중간 어디를 오가면서 삶은 깊어진다.

잘 사는 것은 초심보다 상황 장악이다. 『중용』의 시중時中은 그 상황에 가장 접합한 태도와 행위를 의미한다. 그래서 노자는 도道를 도라 하면 도가 아니라고 했다. 지혜는 상황에 있다. 상황을 장악하지 못하면 배는 산으로 간다. 함께 불행해진다.

잘 사는 것은 인정욕망에 휘둘리지 않는 것이다. SNS는 인정과 자랑의 바다다. 좋아요 수와 댓글을 읽으며 인정욕망은 충족된다. 중독과 관종이 되기 쉬운 시대다. 인정투쟁은 타인의 평가에 자신을 맡기는 것이다. 인정욕망에 끌려가면 삶은 공허하다. 인정욕망은 통제되어야 한다.

잘 사는 것은 소 잃고 외양간 고치기다. 소 잃고 외양간을 고쳐야 다시 소를 잃지 않는다. 실수는 반복되어서는 안 된다. 실수가 반복되면 삶은 곤궁과 저열함, 외로움으로 떨어진다.

잘 사는 것은 겸손하지 않는 것이다. 겸손은 쉽게 도구로 전락한다. 겸손은 정상에 있거나 정상에 올라 본 사람들의 것이다. 겸손은 강자의 것이다. 낮은 포복을 하면서 겸손하면 생은 낮은 포복으로 끝난다.

잘 사는 것은 희망이 아니라 용기다. 용기는 실천력이다. 백 번의 다짐보다 한 번의 실천이 낫다. 백 가지 희망보다 눈앞의 문제를 당장 해결하는 게 낫다. 핑계 없는 삶에 뿌듯함이 있다.

잘 사는 것은 비폭력적으로 거침없이 사는 것이다. 일하는 방식은 비폭력이어야 한다. 황금률이란 게 있다. 己所不欲 勿施於人 기소불욕 물시어인, 내가 하기 싫은 일을 남에게 하지 말라이 그것이다. 자기에게 좋은 일이 남에게도 좋은 일이라는 단정은 폭력이다. 일은 비폭력적으로 거침없는 추진력으로 진행되어야 이루어진다.

잘 사는 것은 오늘 할 일을 내일로 미루는 것이다. 시간에 쫓겨야 최선의 판단과 최고의 효율이 나온다. 빈둥거림은 창의성의 원천이다. 코앞일 때에야 사람은 깊이 몰입한다. 짧은 순간 쏟아 부으면 탁월함이 생산된다.

잘 사는 것은 고통을 개별화하지 않고, 즐거움을 보편화하지 않는 것이다. 삶의 고통은 크게 다르지 않다. 혼자 겪는 고통이 힘든 법이다. 고통을 누구나 겪는 것으로 보편화하면 고통은 견딜 만 한 것이 된다. 즐거움이 누구나 누리는 것이 되면 즐거움은 시무룩한 것이 된다. 즐거움을 개별화하면 희열이 된다.

잘 사는 것은 우정을 삶의 중심에 놓는 것이다. 우정은 함께 희희낙락하고, 애환을 나누고, 서로가 서로를 지켜주며, 작당하고, 사건을 만들고, 돈을 나눠 쓰는 것이다. 그런 우정은 삶의 원천이다.

잘 사는 것은 잘 실패하기·정당한 과정·고독·가난에 대한 각오·좋은 관점·사행일치·영혼 없이 일하기다.

잘 사는 것은, 그리하여 어려운 과제다.

날카로운 곡선

초판 1쇄	2023년 8월 25일

글	임규찬
펴낸이	도서출판 함향
펴낸곳	함향 출판등록 제2018-000007호
주소	부산광역시 동래구 명륜로69 상가동 1001호
E-mail	phil8741@naver.com
블로그	blog.naver.com/hamhyangbook
유튜브	함향 hamhyang
편집디자인	씨에스디자인
인쇄	인쇄출판 유신
뒤표지 글	창연 이희걸

ISBN 979-11-93194-03-4

가격 : 15,000원

도서출판 **함향**은 **함**께 **향**유합니다.